ライセンス契約のすべて

実務応用編　改訂版（改正民法対応）

All About
LICENSE AGREEMENTS

**交渉から契約締結までの
リスクマネジメント**

モデル契約書
ダウンロードサービス付き

吉川達夫
Tatsuo Yoshikawa

森下賢樹
Sakaki Morishita

【編著】

第一法規

【ダウンロードサービス】本書のモデル契約書をダウンロード頂けます。
http://www.d1-book.com/
※ダウンロードは，2025年7月31日までとなります。

【ご注意】
　本書は法的意見書ではなく，またダウンロードサービスにより提供する各契約書式は，読者が所属される組織あるいは個人のご使用目的に合わせ，修正して契約書を作成するためのサンプルとしてご提供しているものです。国際契約においては相手国の弁護士を含め，それぞれの事案に応じて専門家のアドバイスを得るとともに，個々の案件に即した契約書を作成してください。
　なお，出版社ならびに各編者，著者は各契約書式や本書の使用によって発生することのある直接損害及び間接損害についての責任を一切負担しません。

はじめに

　本書は，ライセンス実務の担当者だけでなく，ぜひ，国際法務や営業担当者にも広く使用していただきたいと考えている。なお，モデル契約については特定の相手国をベースとして作成していないので，その国に合った内容に修正することが必要であり，専門家に確認することが重要である。

　本書の構成は，ライセンス契約に関連して，ライセンス契約作成のポイント，ライセンス契約失敗事例集，有利なライセンス契約交渉術，ライセンス契約上級編の4部とした。

　第1部は，ライセンス契約作成のポイントとして，ライセンス契約を作成するにあたって検討すべき事項をいくつかの視点から盛り込んだ。まず，ライセンスビジネスモデルを再検討することから始め，ライセンスをめぐる紛争を説明した。紛争が発生する可能性を踏まえてこそ，よい契約書が作成できるものである。読者の便を考え，チェックリストなども併せて示した。第2部は失敗事例である。過去の失敗事例をビジネスに活かすことで，成功するビジネスに近づける。第3部は，有利な契約交渉術である。ライセンサーとライセンシーの違いによる交渉戦術や基本ライセンス契約とバリエーション条項も示した。最初に自社に有利なドラフトを提示し，最終契約書は交渉によってできあがったものである。契約交渉において重要なことは，いかに対案を出せるか，リスク分析ができるかにかかってくる。第4部は，ライセンス契約上級編として，新たに数種類の契約書を示した。

　本プロジェクトに国際法務実務家や弁護士，弁理士から賛同をいただき，本書を作成することができた。ここで改めてお礼を申し上げたい。

　本書は2006年に第1版が出版されたものであるが（当初別の出版社より出版），このたびの改訂版を発行するにあたり，民法債権法改正などの法改正に伴う内容変更・拡充を行った。なお，モデル契約書書式等をウェブサイトで提供することで，利用者は作成時にサイトにアクセスして書式をダウンロードして使用できるようにしている。

　出版社の担当者には大変お世話になったことをこの場をお借りして御礼申し上げる次第である。

　　2020年4月

　　　　　　　　　　　　　　　　　　　　　著者代表　吉川達夫

目次
Contents

第1部 リスクマネジメントと契約作成のポイント　*1*

序章　ライセンス契約をめぐるビジネスモデル　*2*

第1章　ライセンス契約のリスク①
ロイヤルティ（実施料）不払リスクとそのマネジメント　*4*
 1　ロイヤルティ不払リスクの発生ポイント ······················ *5*
 2　ロイヤルティ不払リスクへの対策 ··························· *7*

第2章　ライセンス契約のリスク②
契約当事者の倒産リスクとそのマネジメント　*10*
 1　倒産リスクの発生ポイント ······························· *10*
 2　倒産リスクへの対策 ··································· *12*

第3章　ライセンス契約ミニマム条件チェックリスト　*14*
 1　契約締結にかかわる確認事項 ····························· *14*
 2　知的財産権にかかわる確認事項 ··························· *15*
 3　ライセンス条件 ······································· *16*
 4　一般条項 ·· *19*

第4章　公正取引委員会のライセンスガイドラインと
改良技術をめぐる契約条項について　*20*
 1　知的財産権と独占禁止法の適用 ··························· *20*
 2　本ガイドラインの構成 ·································· *21*
 3　改良技術をめぐる契約条項 ······························· *23*
 4　結び ·· *25*

第5章　知的財産をめぐる紛争とライセンス契約　*26*
 1　侵害警告書 ··· *26*
 2　特許侵害通告への対抗手段 ······························· *28*
 3　税関における輸入差止め ································ *29*

第6章　TPP時代の知的財産　　30
　1　総論 …………………………………………………… 30
　2　各論 …………………………………………………… 31
　3　最後に ………………………………………………… 38

第2部　ライセンス契約失敗事例集　　39
事例❶　マスターライセンス契約とサブライセンシーの倒産　40
事例❷　ライセンス製品の販売不振　42
事例❸　ライセンス契約における最恵待遇条項と
　　　　　完全合意条項・修正制限条項　44
事例❹　ロイヤルティ（ライセンスフィー）の支払いと税金　46
事例❺　独占権と非独占権との切り替わり　50
事例❻　ライセンサーの特許権消滅に関するライセンス契約の不備　52
事例❼　予想しなかった「許諾製品」によるライセンス収入の激減　54
事例❽　デザイナーの知識不足による不利な契約　57
事例❾　独占的ライセンス契約の意外な落とし穴　60
事例❿　アイディアの提供が一転紛争へ　63
事例⓫　マルティプルライセンスが独占禁止法違反に　65
事例⓬　ライセンシーによるライセンス技術の改良制限が
　　　　　独占禁止法違反に　67

第3部　有利に進める交渉術　　69
第1章　ノウハウライセンス契約におけるライセンサーと
　　　　　ライセンシー　立場の違いによる交渉戦術　70
　1　ノウハウとは ………………………………………… 70
　2　ノウハウのライセンス契約 ………………………… 71

  3　ライセンサー側に立った交渉戦術 ……………………………… *71*
  4　ライセンシー側に立った交渉戦術 ……………………………… *78*

第2章　国際製造販売ライセンス契約のバリエーション条項　*84*

 1　頭書 ……………………………………………………………… *84*
 2　前文 ……………………………………………………………… *85*
 3　定義条項 ………………………………………………………… *87*
 4　ライセンス権利付与条項 ……………………………………… *90*
 5　ライセンサーの提供する技術情報 …………………………… *92*
 6　材料と部品の供給 ……………………………………………… *94*
 7　支払条件 ………………………………………………………… *94*
 8　秘密遵守条項 …………………………………………………… *99*
 9　改良及び開発 …………………………………………………… *100*
 10　保証条項 ………………………………………………………… *101*
 11　契約期間 ………………………………………………………… *102*
 12　不可抗力条項 …………………………………………………… *105*
 13　輸出管理法遵守条項 …………………………………………… *106*
 14　譲渡条項 ………………………………………………………… *107*
 15　通知条項 ………………………………………………………… *108*
 16　紛争解決条項 …………………………………………………… *109*
 17　完全合意条項 …………………………………………………… *110*
 18　非放棄条項 ……………………………………………………… *111*
 19　分離条項 ………………………………………………………… *111*
 20　準拠法と言語 …………………………………………………… *112*
 21　サイン欄 ………………………………………………………… *113*
 コラム　特許権の消尽が問題になった事例 ……………………… *114*

第4部　ライセンス契約モデル契約書集　*115*

第1章　技術援助ノウハウ契約　*116*

 1　ビジネスモデル ………………………………………………… *116*
 2　リスク分析 ……………………………………………………… *116*
 3　関連する法律・許認可など …………………………………… *117*
 4　契約書チェックポイント ……………………………………… *118*

|モデル契約書| TECHNOLOGY TRANSFER AGREEMENT ……………… *121*
|モデル契約書| TECHNOLOGY LICENSE AGREEMENT ……………… *127*

第2章　商品化契約　　　　　　　　　　　　　　　　*135*

2−1　国際商品化契約……………………………………………*135*
1　ビジネスモデル ………………………………………………*135*
2　リスク分析 ……………………………………………………*136*
3　関連する法律・許認可など …………………………………*137*
4　契約書チェックポイント ……………………………………*139*
|モデル契約書| MERCHANDISING AGREEMENT …………………… *142*

2−2　国内商品化契約……………………………………………*154*
1　ビジネスモデル ………………………………………………*154*
2　契約書チェックポイント ……………………………………*154*
|モデル契約書| 商品化権使用許諾契約書 ………………………… *158*

第3章　製薬業界におけるライセンス契約　　　　　　*162*

1　ビジネスモデル ………………………………………………*162*
2　リスク分析 ……………………………………………………*164*
3　関連する法律・許認可など …………………………………*166*
4　契約書チェックポイント ……………………………………*167*
|モデル契約書| 医薬品ライセンス契約書 ………………………… *168*

第4章　ロイヤルティシェアリング契約　　　　　　　*172*

1　ビジネスモデル ………………………………………………*172*
2　リスク分析 ……………………………………………………*172*
3　関連する法律・許認可など …………………………………*173*
4　契約書チェックポイント ……………………………………*173*
|モデル契約書| ROYALTY SHARING AGREEMENT ……………… *175*

第5章　クロスライセンス契約　　　　　　　　　　　*178*

1　ビジネスモデル ………………………………………………*178*
2　リスク分析 ……………………………………………………*178*
3　関連する法律・許認可など …………………………………*179*
4　契約書チェックポイント ……………………………………*180*
|モデル契約書| CROSS-LICENSE AGREEMENT …………………… *184*

第6章　アフィリエイト契約　194

1　ビジネスモデル ……………………………………………………… 194
2　リスク分析 …………………………………………………………… 195
　モデル契約書　広告掲載委託基本契約書 ……………………………… 199
　モデル契約書　ASPサービス利用規約 ………………………………… 203

第7章　パッケージライセンス契約　208

1　ビジネスモデル ……………………………………………………… 208
2　リスク分析 …………………………………………………………… 209
3　関連する法律・許認可など ………………………………………… 210
4　契約書チェックポイント …………………………………………… 212
　モデル契約書　パッケージライセンス契約書 ………………………… 215

第8章　サブライセンス契約　218

1　ビジネスモデル ……………………………………………………… 218
2　リスク分析 …………………………………………………………… 219
3　関連する法律・許認可など ………………………………………… 220
4　契約書チェックポイント …………………………………………… 221
　モデル契約書　サブライセンス権付きライセンス契約書 …………… 224

第9章　フランチャイズライセンス契約　226

9-1　国内フランチャイズ契約 ……………………………………… 226

1　ビジネスモデル ……………………………………………………… 226
2　リスク分析 …………………………………………………………… 227
3　関連する法律・許認可など ………………………………………… 228
4　契約書チェックポイント …………………………………………… 232
　モデル契約書　法定開示書面・フランチャイズ契約書 ……………… 233

9-2　国際フランチャイズ契約 ……………………………………… 240

1　ビジネスモデル ……………………………………………………… 240
2　関連する法律・許認可など ………………………………………… 241
3　契約書チェックポイント …………………………………………… 243
　モデル契約書　FRANCHISE AGREEMENT ………………………… 246

事項索引 ……………………………………………………………………… 251

第1部

リスクマネジメントと契約作成のポイント

序 章	ライセンス契約をめぐるビジネスモデル
第1章	ライセンス契約のリスク① ロイヤルティ(実施料)不払リスクとそのマネジメント
第2章	ライセンス契約のリスク② 契約当事者の倒産リスクとそのマネジメント
第3章	ライセンス契約ミニマム条件チェックリスト
第4章	公正取引委員会のライセンスガイドラインと 改良技術をめぐる契約条項について
第5章	知的財産をめぐる紛争とライセンス契約
第6章	TPP時代の知的財産

序章
ライセンス契約をめぐるビジネスモデル

森下 賢樹 ●*Sakaki Morishita*

　「ライセンス」の本質は何か。「ライセンス」という言葉を辞書で調べると，ほぼ「許可」に落ち着く。「それがなければ違法となる行為に対する許可」と説明するものもある。

　「ライセンス」にはさまざまな形態が存在する。たとえば，①他人の特許や商標などの知的財産を実施ないし使用するための許可，②他社からノウハウを伝授され，これを製品開発や製造などの場面で利用するための許可，③他人が有する優れた商品と同一の商品を製造して販売するための許可，④フランチャイザーの有するビジネスの手法をそのまま利用してフランチャイズチェーンの一員として店舗を展開する許可などである。

　いずれの場合も，「ライセンス」は一方（ライセンサー）が他方（ライセンシー）に何らかの行為を許可するものであり，一方の許可なく他方がその行為をすれば法的な問題が生じうる。ライセンスの形態は多様であっても，おおまかには「許可」ということができる。

　では，何が「許可」されるのか。ライセンスの対象は何か。上記①は特許や商標，②はノウハウ，③はノウハウや著作権であろうか。④は「ビジネスの手法」なのか。

　このように，四つの例でもライセンスごとに対象は違う。しかし，それらに共通する概念は無体財産である「知的財産」ということである。わが国では平成14（2002）年に知的財産基本法が制定され，その2条1項には，

> 知的財産基本法2条1項（定義）
> 　この法律で「知的財産」とは，発明，考案，植物の新品種，意匠，著作物その他の人間の創造的活動により生み出されるもの（発見又は解明がされた自然の

> 法則又は現象であって、産業上の利用可能性があるものを含む。)、商標、商号その他事業活動に用いられる商品又は役務を表示するもの及び営業秘密その他の事業活動に有用な技術上又は営業上の情報をいう。　　（下線部筆者）

とある。前述の①～④の対象も、それら以外のライセンスの対象も、ここで示した三つの下線箇所のいずれかにあたる。ライセンスとは、知的財産について発生するものである。また、そうした経験則から逆に知的財産基本法の規定になったともいえる。

なお、①の対象は、実は知的財産のうち法令で定められた権利、すなわち知的財産権（たとえば、特許権、商標権など）を指すのが正しい。ライセンスの本質を考える場合、知的財産と知的財産権の概念の違いも意識した議論が必要になる。

ライセンスの対象が把握できれば、ライセンス契約が必要となるのは「他人の知的財産を利用する許可が必要な場面」である。このとき、その知的財産が既に公開されているもの（特許発明や登録商標など）か、秘密状態のもの（ノウハウや営業秘密など）かに分かれる。

後者は、秘密状態でこそ知的財産として意味があるため、開示には最大限の配慮が要る。しかし、ライセンス契約を結ぶ前にある程度開示をしないと、ライセンシー（となるべき側）もサインはできない。知的財産は有体物ではないため、情報の開示をめぐるトラブルは多い。

一方、前者においても、知的財産の無体性ならではの難しさがある。特許発明の技術的範囲がどこまでか、ライセンシーの製品のうちどれがライセンスの対象なのか（すなわち、特許発明の技術的範囲に入るのか）は、毎回といってよいほど議論になる。ライセンス契約を画定する際、無体物である知的財産をできるだけ具体的に捉え、行為や製品ごとに可能な限り具体的に規定しておくことがトラブル回避のポイントとなる。残念ながら近道はない。将来起こりうるトラブルや疑問をいかに鮮明に想像できるか、その経験と能力にかかっているのである。

以下、このようなことを念頭に、いろいろなライセンス契約をみていきたい。

第1章
ライセンス契約のリスク①
ロイヤルティ(実施料)不払リスクと
そのマネジメント

橋詰 卓司● *Takuji Hashizume*

　ライセンス契約の目的は，知的財産権を持つ者(ライセンサー)が，その知的財産の価値を製品・サービスに変えて，最大化して市場に提供できる能力を持つ者(ライセンシー)に対し，自らが持つ権利を供与し，ロイヤルティ(実施料)という金銭を対価として，保持する知的財産の価値相当分又はそれ以上の金銭を回収することにある。

　ところが，売買契約や賃貸借契約などと異なり，相手方に供与する価値が無形であること，また相手方がその価値を活かせたかどうかによってロイヤルティの額が変動することなどを原因として，ロイヤルティの完全な回収は困難になりがちという特徴がある。実際，英国のロイヤルティ監査サービス会社が調査したところ，監査にかかわった案件の70～80％において不適切なロイヤルティの支払実態が確認され，本来支払うべきロイヤルティとの差額は平均して25～30％に上ったという調査結果が出ているという[1]。

　これらの点を踏まえ，
- ロイヤルティ不払リスクはどのようなポイントで発生するのか
- その対策としてどのような方法が考えられるか

をそれぞれ整理してみたい。

---

1) 淵邊善彦=吉野仁之『ロイヤルティの実務』89頁(中央経済社，2008)

1 ロイヤルティ不払リスクの発生ポイント

1.1 出来高制採用リスク

ライセンサーが設定するロイヤルティ支払条件を大別すると，
(1) 定額制
(2) 出来高制
(3) 定額＋出来高制
の三つがある。このうち，(2)及び(3)のように出来高に応じてロイヤルティを支払う出来高制ライセンス契約では，ライセンスを受けた知的財産を利用して生産・販売した数量に応じた定量方式，又はライセンシーが得た売上もしくは利益の一定割合に応じた定率方式のいずれかによって，ロイヤルティが支払われることとなる。

出来高制は，ライセンシーにとっては，数量・金額に比例した分だけロイヤルティを支払えばよいというメリットがあり，ライセンサーにとっては，予測に基づく不確かな金額でライセンスを供与してしまうよりも，大きなロイヤルティ収入が得られるチャンスが留保できるというメリットがある。ライセンス契約締結当時に双方が思い描きがちな「明るい未来」を前提とした分かりやすいメリットがあることから，一般的に出来高制は両者にとって受け入れられやすい。

一方，この分かりやすさ・受け入れられやすさの反面，ライセンシーが契約の有効期間中，将来にわたり，常に高いモチベーションをもって生産・販売をしてくれるかは不明であるというリスクがある。1社だけに独占的にライセンスをした場合には，ライセンサーにとってこのリスクは非常に大きなものとなる。

さらに，出来高制をとった場合は，そのライセンシーが契約期間終了までロイヤルティの支払能力を維持できるかという点も大きなリスク要因となる。ライセンシーが倒産した場合であっても，ライセンシーの監督委員又は管財人が契約の履行を選択し，契約どおりロイヤルティを支払う限りにおいてライセンサーは当然には契約解除ができない（破産法53条，民事再生法49条，会社更生法61条）。したがって，独占的ライセンス契約を出来高制で締結してそ

の相手方が倒産したといったケースでは，他にライセンスを供与できないことのリスクは計り知れないものとなる。

1.2 ロイヤルティ発生対象の不明確さに起因するリスク

　ロイヤルティ計算のベースを製品の物量等とする定量方式を採用した場合は，計算のベースがどの時点の製品かについて，ライセンサーとライセンシーとの認識に齟齬が発生する可能性が高くなる。特に試作品や広告宣伝・販売促進のためのサンプル・社内使用品など，市場で販売されないものに対してもロイヤルティの対象とするのか，それともロイヤルティ発生対象製品から控除されるのかについては，その傾向がみられる。

　一方，売上や利益額に対してロイヤルティを発生させる定率方式を採用した場合は，計算のベースとなる売上や利益の金額算定方式・控除額について，理解に齟齬が発生するリスクがある。たとえば，売上額でいえば，いわゆる総販売額そのものなのか，又はそこから運送料・梱包料・倉庫保管料・通関費用・関税・消費税・返品分などを差し引いた純販売額なのかが問題になる場合や，販売したにもかかわらず売上が回収できなかった場合にはどのように扱われるのかが契約上不明確な場合がある。

　加えて，子会社等グループ会社や販売会社を通じて販売するなど，ロイヤルティ発生対象製品が最終顧客に販売されるまでに複数社を経由する場合には，どの時点でロイヤルティの発生とするのかタイミングを明確に決めておかないと，疑義が生じる可能性がある。

1.3 ライセンシーの契約内容に対する認識不足に起因するリスク

　契約書において適切な条件設定がなされていても，知的財産権を実施するライセンシーの現場が契約内容を理解していないがために，ロイヤルティ発生対象と認識せず，結果的に適切に申告されないなど，当事者も悪意なく気付かないままに，長期間にわたり契約違反を重ねる場合がある。

1.4 ライセンシーの悪意に起因するリスク

　ロイヤルティは企業の最終利益を減じる要因となる。特に利益額をベース

に費用が発生する定率方式の場合は，この傾向は顕著となる。ライセンサーの目に触れない範囲でこの出費を抑えたいという欲求のままに，ライセンシーが意図的に不正な申告を行う可能性は否定できない。

2 ロイヤルティ不払リスクへの対策

2.1 定額制・条件付出来高制の採用

　出来高制を採用することによって発生するリスクを避けるため，定額制を採用してしまうという手段が考えられる。支払方法についても，リスクヘッジを優先するのであればマイルストーンペイメント（目標達成毎払い／時期到来毎払い）[2]を採用せず，できる限り一時払い・前払方式とすることが望ましい。

　やむなく出来高制を採用する場合であっても，ミニマムロイヤルティ（最低保証額）を設定し，これを契約時の一時払いとすることで，最低限開発費用は回収しておくという方法も検討すべきである。

　また，逆のアプローチとして，あえてマキシマムロイヤルティ（最高保証額／上限付実施料）[3]を設定する方法や，販売・生産量の増大に伴いロイヤルティの料率を逓減させる方法を採用することにより，ライセンシーに大量生産・販売を行うインセンティブを積極的に与えることも検討したい。

2.2 ライセンシーに疑義や認識不足を生じさせにくい　　　ロイヤルティ条件の設定

　ロイヤルティの計算に出来高制を採用する場合であっても，売上や利益額に対して一定料率を乗じる定率方式より，製造・販売した個数に応じて金額を定める定量方式によりロイヤルティを設定する方が，契約内容や算定金額に疑義や認識不足が生じにくく，不払リスクは回避できる。ロイヤルティの発生時期についても，対象製品の販売契約締結時，販売先への引渡時，検査完了

2）契約書の文脈により，必ずしもこの訳語が当てはまらない場合もあるため，留意が必要である。
3）同上

時，代金受領時など，タイミングを明確にしておくことが重要である。

2.3 違約金・監査費用負担の設定

定量方式・定率方式のいずれであっても，ライセンサーがロイヤルティを算定するにあたっては，ライセンシーから報告される数量や金額をベースとせざるを得ない。この報告数量・金額の真実性・正確性を担保するために，いわゆる損害賠償額の予定として，通常のロイヤルティ金額を超える違約金を設定することを検討すべきである。

ただし，この違約金の設定について，ロイヤルティ額を大幅に超える違約金を設定する場合には注意を要する。日本においては，判例により懲罰的損害賠償はその効力を否定されていること，暴利行為として公序良俗違反が認められる余地があることがその理由である。ロイヤルティ額より多額の違約金が認められた裁判例としては，JASRAC使用料の不払いについて，不払い分と使用料の倍額の違約金請求が認められた事例（ゴールデンミカド事件，大阪地判昭和42年8月21日判時496号62頁）や，お菓子のおまけフィギュアについて契約上設定したロイヤルティの倍額を違約金として支払う旨の合意が有効と認められた事例（フィギュア事件，大阪地判平成16年11月25日判時1901号106頁）がある。

また，違約金とは性格が異なるが，ロイヤルティ監査の実施によりロイヤルティ報告書との相違が発覚した場合に，起用した監査人等専門家の報酬・派遣する担当者の人件費・出張費用等の監査費用の一切をライセンシーに全額負担させる約定をすることによっても，不適切な申告を抑制する効果を期待することができる。

2.4 ロイヤルティ監査の早期実施

契約において，販売時期・数量・価格・販売先顧客等を記した報告書の提出義務を定め，併せてそれを帳簿として保管させ，ライセンサーがそれらをもとに監査を行う権限を設定しておき，実際に定期的にロイヤルティ監査を実施したい。

なお，監査については，ロイヤルティの不適切な申告が疑われてから監査を

実施するよりも，簡易な形でも契約締結から間を置かずに早期に監査を行うことが効果的な場合がある。この早期に実施する監査においては，不適切な申告が発覚した場合であっても，違約金や監査費用の負担をライセンシーに求めない措置とすることも検討したい。上述した契約内容についての不明確さに伴う契約当事者間の理解の齟齬や認識不足が，早期監査を通じた友好的なコミュニケーションにより早い段階で解消できることがその理由である。

2.5 保険の付保

国際ライセンス契約であれば，株式会社日本貿易保険（NEXI）が引受けを行う知的財産権等ライセンス保険に加入するという手段がある。

この保険では，相手方の破産や債務不履行により対価を回収できなくなる「信用危険」が発生した場合に，国内ライセンサー企業に発生する損失をカバーすることができる。それだけでなく，本書では対象として挙げていないが，仕向国における戦争など，または外貨不足等の事情により対価を回収できなくなる「非常危険」による損失までもカバーしている。

第2章
ライセンス契約のリスク②
契約当事者の倒産リスクと
そのマネジメント

橋詰 卓司● *Takuji Hashizume*

　ライセンス契約は，他の契約に比してライセンサーとライセンシー双方が継続的・長期的に義務を負い，かつ，代替が効きにくい価値を交換する契約であるだけに，当事者いずれかの倒産が他方に与える影響は必然的に大きくなる。

　このため，
- ライセンス契約が抱える独特の倒産リスクを理解しておくこと
- その倒産リスクを回避・最小化する対策を検討しておくこと

が求められる。

1　倒産リスクの発生ポイント

1.1　ライセンサーの倒産

　破産法・民事再生法・会社更生法上の原則では，ライセンス契約のような双方未履行の双務契約について，管財人等は解除をするか，履行の請求をするかのいずれかを選択する権限が付与されている（破産法53条，民事再生法49条，会社更生法61条）。したがって，ライセンサーがこれらの法的整理に突入した場合，ライセンシーはライセンス契約を一方的に解除されるリスクが生じることとなる。

　このようなライセンシーにおける予測不可能性によって発生する不利益を解消するため，平成16（2004）年の破産法改正において，「ライセンシーが実

施権を登録し，対抗要件を備えた場合には，管財人等の解除権等の規定が適用されない」旨が明確化された（破産法56条，民事再生法51条，会社更生法63条）。これによって，設定に登録を必要とする専用実施権については，保護されることが明確となった。しかし，実務においては専用実施権を付与するケースよりも通常実施権を付与するケースの方が多く，また通常実施権を付与する際には登録費用負担，手続の煩雑さ，設定の事実が公開される等のデメリットがあることから，わざわざ設定登録を行うケースは少ない。にもかかわらず，そのような通常実施権ライセンス契約においてライセンシーが保護されないという問題が残った。

　そこでこの問題を解消すべく，平成23（2011）年の特許法改正により，いわゆる当然対抗制度が導入され，特許権の通常実施権については，特許原簿に設定登録をせずとも保護されることとなった（特許法99条）。また同制度については，実用新案法および意匠法にも準用規定が置かれた（実用新案法19条3項，意匠法28条3項）。

　なお，商標法にはこのような当然対抗制度は導入されなかったため，通常使用権のライセンスについて保護を受けるには引き続き設定登録が必要となる（商標法31条4項）。また著作権については，そもそもライセンシーの権利について対抗制度の規定がないことに注意が必要である。

1.2　ライセンシーの倒産

　ライセンシーが破産手続に突入した場合，管財人は契約の解除又は履行のいずれかを選択できる（破産法53条）。しかし，清算を最終目的とする破算手続において，ライセンス契約を継続する必然性がなく，またロイヤルティの支払義務を免れるためにも，通常は即時に解除が選択されることとなる。

　また，ライセンシーが民事再生手続・会社更生手続に突入した場合も，ライセンシーの管財人等はライセンス契約の解除又は履行のいずれかを選択できる（民事再生法49条，会社更生法61条）。こちらは破産手続とは異なり，ライセンシーとしては再生を目指してライセンス契約の継続を求めるケースが多い。一方で，ライセンサーとしては経営不安から解除を検討するのが通常である。加えて，一般的なライセンス契約では，ライセンシーの倒産はライセン

サーによる契約解除事由として規定されていることもあって、ライセンシーが契約の履行を求めている場合であっても、これらの倒産手続に突入した場合にはライセンサーは約定解除を求めることとなるが、民事再生法・会社更生法が管財人に契約の解除又は履行の選択権を与えた趣旨から、契約どおりロイヤルティを支払う限り、ライセンサーは当然に契約解除はできないというリスクを負う。

2　倒産リスクへの対策

2.1　ライセンサーの倒産

　1.1で述べたとおり、特許権、実用新案権及び意匠権については当然対抗制度が導入された。この制度により、ライセンシーとしては、通常実施権であっても設定登録をすることなくライセンサーの管財人等による一方的な解除権等の行使リスクを排除できる。

　一方で、当然対抗制度が導入されなかった商標権及び著作権については、個別の対応が必要となる。

　まず商標権であるが、事業の継続に必要な商標の通常使用権については、設定登録を行うべきであり、これによりリスク回避が可能である。

　著作権については、対抗制度自体が存在しないため、リスク回避は困難であると言わざるを得ない。この点、近時の知財高裁において、著作権の独占的利用権は債権的権利に過ぎず、著作権の全部又は一部の譲渡がされた場合は、著作権法上譲受人に対抗することができないと判示した裁判例も現れた（知財高判平成26年3月27日平成25年（ネ）10094号）。著作権については、ライセンサーの倒産兆候を察知し、その著作権を先んじて買い上げるか、又は他の同様の技術等を持つライセンサーを採用するなどの措置を検討する必要がある。

2.2 ライセンシーの倒産

　ライセンシーが破産手続に突入し，管財人が契約解除を選択した場合，ライセンサーに残された手段は，破産債権として損害賠償請求権を行使することでしか対抗できない。民事再生又は会社更生手続に突入した場合であって，ライセンシーの管財人等が解除を求めた場合も同様である。

　したがって，ライセンサーとしては，この倒産リスクに対しては担保権の設定以外に有効な防御手段はなく，その兆候を察知して早期のロイヤルティ回収を目指すほかない。

第3章
ライセンス契約ミニマム条件チェックリスト

吉川 達夫● *Tatsuo Yoshikawa*

　本章では，ライセンス契約作成にあたり検討すべき条件のチェックリストを示した。全体を通じて案件に合致した条件を選択して条項を作成することが重要である。

1　契約締結にかかわる確認事項

　最初に示すのは，ライセンス契約のみに特有な条項でなく，契約締結において最低限規定すべきや確認すべき事項，すなわち，契約サイナー（署名者）のように確認が完了しないとドラフトを作成できない事項のことである。

　国際契約の場合には，国際契約特有の条項に加えて相手国の法令に応じて必要となる条項を入れなければならない。このためにも，国際契約を作成するにあたっては現地における弁護士の確認を受けることが重要となる（たとえば，日本とシンガポールの契約において，準拠法をニューヨーク州法にして裁判所をニューヨーク連邦地裁にする契約が執行可能か，など）。

	チェック項目	規定すべきミニマム条件
当事者	法人形態確認と法人格の有無（個人商店であるd.b.a／doing business asや会社内corporationなどに注意）	・当事者の正式名称 ・国際契約の場合設立準拠法 ・法人格について保証条項を設ける（問題がない状態をgood standingという）
契約締結権限	契約締結権限 取締役会決議等会社の機関による承認	・契約書に捺印（サイン）する者に契約締結権限があるかを確認し，必要な社内承認取得義務ならびにこれが取得されていることの保証を設ける

	チェック項目	規定すべきミニマム条件
政府承認	契約締結に対する政府許可（例：ライセンス製造販売する合弁新会社設立の契約に対する投資局許可）	・政府許可が必要な場合，承認取得にあたり，両当事者の業務分担と協力を明記し，契約効力発生を許可時とする
付随契約	ライセンス契約以外の付随契約の有無	・基本契約の作成，同時締結を行う必要性，クロスディフォルト規定の有無を検討
国際契約	国際契約における一般的条項 相手国の強制法規がないか	・国際契約として有効で執行可能な一般条項を取り決める（当該条項が無効となる可能性がある） ・契約の種類に応じた相手国の法令確認を行い必要な条項を盛り込む

2　知的財産権にかかわる確認事項

　ライセンス対象となる商品と権利について確認すべき事項である。なお，市場における類似商品があるか，収益性があるかといった事項については事前調査を行う必要がある。

	チェック項目	規定すべきミニマム条件
契約対象商品	対象商品の範囲	・商品定義明確化（例：自動車にバスは含まれるかなど）
	対象外商品の優先取扱権	・将来製品や周辺製品の優先取扱権
知的財産権	ライセンスされる商品にかかわる特許や商標（出願中を含む）は何か	・登録（あるいは申請）番号の表示，あるいは登録された知的財産権の表示 ・知的財産権の適正な登録が維持，継続されていることへのライセンサーによる保証 ・不争条項の有無
知的財産権の侵害	侵害発見時の通知や防御義務の有無	・通知義務，協力，防御に関わる費用負担の明確化
	不正使用の防止義務の有無	・損害が生じた場合の補償の有無

	チェック項目	規定すべきミニマム条件
ライセンス製品の品質	品質確保のための義務の有無	・品質確保のための義務の明確化
	チェックプロセス	・ライセンス製品が基準を満たしているかの承認プロセスの規定
ノウハウの提供	ライセンサーからのノウハウ提供有無	・ノウハウ提供形態を明確に規定（例：継続提供があるかなど）

3 ライセンス条件

ライセンス契約の根幹となるライセンス条件が正しく規定されているか確認する。

3.1 オンプレミス型ソフトウェアライセンスの場合

	チェック項目	規定すべきミニマム条件
ライセンス内容	ライセンスされる権利の確定	・製造ライセンスか，製造販売ライセンスなのかなど，明確に付与される権利を規定
地域	販売地域	・販売地域の確定，輸出可能か
サブライセンス権・製造委託	サブライセンス権の有無（製造委託を認めるか）	・サブライセンスが認められる場合，その条件
許諾条件	独占か非独占か	・域内へ販売する者への販売禁止や，ライセンサーが直接販売することの有無
	ライセンス表示義務の有無	・ライセンスならびに商標等権利表示の方法及び義務
並行輸入品	ライセンサーや域外の第三者が許諾地域において販売することができるか適用される独占禁止法で確認	・域外の第三者に対して，域外に向けての販売を禁止させるべきかどうか
契約期間・ライセンス算定年	初年度の期間は1年未満とするか，契約年度は自動更新か，一定期間か	・暦年（calendar year）か ・契約年（contract year）か

第3章　ライセンス契約ミニマム条件チェックリスト

	チェック項目	規定すべきミニマム条件
ライセンスフィー算定方法・支払方法	ミニマムロイヤルティ(最低保証額)、ランニングロイヤルティ(実施料)、イニシャルペイメント(契約金)の有無	・ミニマムロイヤルティの場合，達成超過部分の翌年度持ち越しの有無 ・初年度はライセンスフィーが少ないスライド制かどうか
価格と数量	ライセンスフィー算定のベース価格は何か(パーセントロイヤルティの場合)	・独立当事者間価格(arm's length price)の規定 ・子会社等関連会社への販売の場合はどのように独立当事者間価格を決定するかの規定 ・自己使用品，無償提供品，返品，税金(消費税，関税)，輸送・梱包費用や不良品の取扱規定 ・ライセンスフィー不返還規定の有無 ・源泉徴収税に係る規定
報告義務	報告内容	・報告事項の明確化(報告内容と時期)
	監査権	・監査条件の明確化(監査可能時間の限定や事前通告の有無)
競業避止	類似製品の取扱いや販売制限規定の有無	・何が競業に該当するか，期間，制限内容を明確に定義する
改良・創作	改良・創作ができるか	・一定範囲で認められるよう規定することが通常であるが，権利化をどうするかが問題となる ・適用される独占禁止法による制限は何か
海外送金	外為許可の有無 租税条約の確認	・ライセンサーへの手続協力義務を規定 ・源泉徴収義務免除書類等の作成が必要か
技術援助	技術援助の有無	・コスト負担割合や技術指導員のアブセンスフィー単価や渡航滞在費用の負担と基準を規定

3.2 クラウド型サブスクリプションライセンス("SaaS")の場合

	チェック項目	規定すべきミニマム条件
SaaS内容	ソフトウェアがどのようにサービスとして提供されるか	・サブスクリプションライセンスの範囲 ・サービスの内容の変更はどのようになされるか
ユーザ範囲	子会社を含むか 地域が限定されるか	・子会社の定義 ・契約地域以外からのアクセスは可能か(輸出規制はあるか)
サービス保証	サービスレベル条件は	・サービスアベーラビリティの%を規定
契約期間	サービス期間の規定方法	・期間内に解約権があるか ・期間満了時に自動更新かどうか ・解約時に支払う金額あるいは払戻金額はあるか
サービス料金	料金の規定方法	・トータルコストオブオーナーシップの削減効果はあるか ・どのような条件で料金を支払うか(ユーザアカウントベースかCPUベースか) ・毎年増加条項がないか ・更新料が規定されていないか ・ユーザ数が契約数量を超えた場合の賠償規定は
データ保管	どこにデータが保管されるか	・データセキュリティポリシーはどのようなものか ・データが保管されるのはEU、米国、日本か ・個人情報は含まれるか ・契約解除後にデータを取得できるか(そのファイル形態は)

4　一般条項

　一般条項は，ライセンス契約の実態や国際契約か国内契約かどうかに応じて修正が必要である。

	チェック項目	規定すべきミニマム条件
秘密保持	秘密保持となる対象は何か	・秘密保持例外事項を規定 ・契約終了後の秘密保持義務延長の有無
契約解除	契約解除の条件	・即時解除事由を規定 ・治癒期間（例：30日）を与える事由を設けるか検討
解除時の販売権	契約解除後の販売権	・契約解除の理由によって場合分けし，一定期間在庫販売を認めるか検討する
補償	契約違反に対する補償制限金額（LoL条項）	・第三者に対する侵害に対する補償制限金額の有無（固定金額あるいは年間取引金額等） ・補償制限の例外を設けることを検討（例：PL事故関連）
契約譲渡	契約譲渡権	・契約譲渡を一切禁止するか，原則相手方の承認を必要としつつ，子会社への譲渡は相手方の承認不要とするといった条件の策定
準拠法（国際契約）	準拠法	・選択した法律が有効か ・抵触法の規定を除くか ・ウィーン動産売買契約（CISG）を排除するか ※国内契約では不要
紛争条項	裁判か仲裁か	・国内契約であれば裁判，国際契約であれば裁判か仲裁（仲裁機関の選定が必要）
印紙等	印紙税を含む税金の有無	・どちらの当事者が負担するか
電子的契約	紙原本契約を作成するか	・紙のやりとりをしない契約締結にするか

第4章
公正取引委員会の ライセンスガイドラインと 改良技術をめぐる契約条項について

西岡 毅● *Tsuyoshi Nishioka*

　ライセンス契約の締結においても契約自由の原則が妥当し，当事者がその契約内容を自由に策定できるのが原則である。しかしながら，これにも一定の限界があり，たとえば，独占禁止法（「私的独占の禁止及び公正取引の確保に関する法律」）の規定に抵触するような契約条項は，後に効力が否定されることもありうる。

　本章では，知的財産権と独占禁止法との関係に関する公正取引委員会のガイドラインを概観した上で，改良技術に関する条項を策定するにあたり，独占禁止法上どのような点に留意すべきかについて検討する。

1　知的財産権と独占禁止法の適用

　そもそも，独占禁止法21条は，

> 独占禁止法21条（知的財産権の行使行為）
> 　この法律の規定は，著作権法，特許法，実用新案法，意匠法又は商標法による権利の行使と認められる行為にはこれを適用しない。

と規定しており，「権利の行使と認められる行為」でなければ，知的財産権に独占禁止法は適用されない。したがって，ライセンス契約で取り扱われる知的財産権に対して独占禁止法が適用されるかは，「権利の行使と認められる行為」の解釈に関わることになる。

　同文言についての解釈は分かれるが，ここでは，公正取引委員会の考え方

を示す。公正取引委員会のガイドライン「知的財産の利用に関する独占禁止法上の指針」（平成19年9月28日公表。最終改正平成28年1月21日）（以下，「本ガイドライン」という）によれば，以下のようなフローチャートに整理することができる（本ガイドライン第2-1参照）。

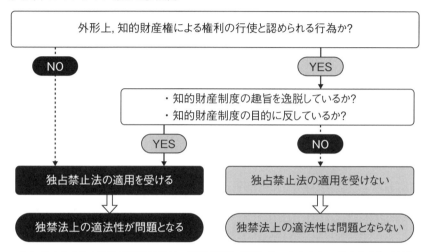

＊なお，独占禁止法の適用の問題と適法性の問題は別個の問題であるが，事実上は，独占禁止法が適用されることとなれば，そのまま違法とされることも多い。

　もっとも，このフローチャートのみでは，具体的にいかなる行為が「権利の行使と認められる行為」であるのか不明確であるから，公正取引委員会は，以上の枠組みを前提に，本ガイドラインの中で詳細な解釈指針を事業者に対して与えている。

　以下，本ガイドラインについて概観する。なお，本ガイドラインが対象としているのは，知的財産権のうち，技術に関するものに限られる。

2　本ガイドラインの構成

　独占禁止法が禁止する行為の三本柱は，① 私的独占，②不当な取引制限（一般的な例としては，カルテル，入札談合など。），③不公正な取引方法である。

　本ガイドラインは，まず「第1」で，総論としてガイドラインの適用対象等を明らかにした上で，「第2」で，独占禁止法の適用についての基本的な考え方を

説明している。そしてこれらを前提に、「第3」で、上記①及び②について、さらに「第4」で、上記③について詳細に説明している。

なお、ここでは、紙面の関係で上記①、②及び③の解釈の際の判断基準について紹介するにとどめる。

2.1 私的独占（①），不当な取引制限（②）について

独占禁止法3条が禁じる私的独占及び不当な取引制限にあたるかは、「一定の取引分野における競争を実質的に制限する」ものであるか否か（独占禁止法2条5項・6項）、すなわち、競争減殺効果の有無という観点から判断される。

本ガイドラインは、その判断については、「制限の内容及び態様、当該技術の用途や有力性のほか、対象市場ごとに、当該制限に係る当事者間の競争関係の有無、当事者の占める地位（シェア、順位等）、対象市場全体の状況（当事者の競争者の数、市場集中度、取引される製品の特性、差別化の程度、流通経路、新規参入の難易性等）、制限を課すことについての合理的理由の有無並びに研究開発意欲及びライセンス意欲への影響を総合的に勘案し」て、決することとしている（本ガイドライン第2-3）。

なお、本ガイドラインの特色の一つとして、競争減殺効果が軽微な場合について、セーフハーバー（一定の条件を示し、その条件を満たす場合には適法であるとするもの。ライセンス契約に関わる事業者にとって一定の指針を示すものとして有用である）を設けたことが挙げられる（本ガイドライン第2-5）。具体的には、

- 製品シェアの合計が20％以下の場合
- 製品シェアを算出できないとき、又は、製品シェアに基づいて技術市場への影響の判断をすべきでないときには、代替技術に権利を有する者が4以上存在する場合

を挙げている。

もっとも、いずれかに該当するとしても、「販売価格、販売数量、販売シェア、販売地域若しくは販売先にかかる制限、研究開発活動の制限又は改良技術の譲渡義務・独占的ライセンス義務を課す場合」には適法にならないとされている。

2.2 不公正な取引方法（③）について

　独占禁止法19条が禁じる不公正な取引方法にあたるかは，公正競争阻害性の有無という観点から判断される。その判断は，上記2.1で述べた競争減殺効果の有無の分析方法に従うとし，本ガイドラインでは，
- 「行為者の競争者等の取引機会を排除し，又は当該競争者等の競争機能を直接的に低下させるおそれがあるか否か」
- 「価格，顧客獲得等の競争そのものを減殺するおそれがあるか否か」

により判断されるものを中心に採り上げるとしている（本ガイドライン第4-1-(2)）。

　さらに公正競争阻害性の有無については，以上の2点に加え，競争手段の不当性の有無，自由競争基盤の侵害の有無について検討を要する場合がある。その際には，「ライセンシーの事業活動に及ぼす影響の内容及び程度，当該行為の相手方の数，継続性・反復性等を総合的に勘案し判断する」とされている（本ガイドライン第4-1-(3)）。なお，このような競争手段の不当性の検討においては，セーフハーバーの適用はない。

3　改良技術をめぐる契約条項

　ライセンス契約において独占禁止法と関連性を有する条項は多岐にわたるが，ここでは特に改良技術の取扱いに関する条項について検討することとする。主に，不公正な取引方法との抵触が問題となる。

3.1　改良技術の帰属

　ライセンス契約においては，ある技術開発の過程で，ライセンシーによって改良技術が開発されることも多く，これらの取扱いをめぐる紛争も絶えない。そこで，このような紛争を未然に防ぐため，改良技術が開発された場合にその権利の帰属をどうするか等についてあらかじめ契約条項が設けられることが多い。しかし，このような条項は，場合によっては，市場におけるライセンサーの地位を不当に強くするものであるし，他方，ライセンシーにとっては研

究開発意欲を減退させられるものであることから，公正競争阻害性を有するとして，不公正な取引方法（一般指定12項）に該当するとされることがある。

　本ガイドラインは，改良技術に関する条項について，①原則として違法となる，②公正競争阻害性を有する等の一定の場合には違法となる，③原則として違法とならないという三つの回答を用意して対応している。

　以下，本ガイドラインで取り上げられている例を見る。

3.1.1　改良技術の譲渡義務，独占的ライセンス義務（本ガイドライン第4-5-(8)-ア）

　ライセンシーが開発した改良技術について，①「ライセンサー又はライセンサーの指定する事業者にその権利を帰属させる」との条項や，②「ライセンサーに独占的ライセンスをする」との条項は，ライセンシーの改良技術をライセンサーが横取りする行為に等しく，ライセンシーの研究開発意欲を著しく阻むものである。本ガイドラインは，これらについて，原則として不公正な取引方法（一般指定12項）に該当し違法となるとする。

3.1.2　改良技術を共有とする義務等（本ガイドライン第4-5-(8)-イ・ウ）

　「ライセンシーが開発した改良技術に係る権利をライセンサーとの共有とする」との条項は，ライセンシーにとっては，改良技術を自由に利用する行為が制限されるものであって，ライセンシーの研究開発意欲が妨げられる面があることは否定できない。もっとも，このような弊害は，先に述べた改良技術の譲渡義務，独占的ライセンス義務ほど顕著ではない。そこで，本ガイドラインは，公正競争阻害性を有するような場合であれば，不公正な取引方法に該当する（一般指定12項）としている。

　一方，「ライセンシーが開発した改良技術が，ライセンス技術なしには利用できないものである場合に，当該改良技術に係る権利を相応の対価でライセンサーに譲渡」させるとの条項については，改良技術がライセンス技術を前提としている以上，ライセンシーに改良技術を独占させる要請は低い。他方，相応の対価が得られるのであれば，ライセンシーの不利益も小さい。本ガイドラインも，一般に公正競争阻害性を有するものではなく，原則として違法とならないとする。

3.1.3 改良技術の非独占的ライセンス義務等（本ガイドライン第4-5-(9)）

「ライセンシーによる改良技術をライセンサーに非独占的にライセンスをする」との条項は，前述した「ライセンサーに独占的ライセンスをする」との条項とは異なり，「非」独占的ライセンスをするだけであるから，ライセンシーは，他の事業者に対して，自由に改良技術のライセンスを付与できる。そうである以上，ライセンシーの改良技術の利用権に対する制限は小さく，ライセンシーの研究開発意欲を減退させるとは言えない。そこで，本ガイドラインは，原則として不公正な取引方法に該当しないとしている。

ただし，上記に伴う「当該改良技術のライセンス先を制限する」条項（たとえば，「ライセンサーの競争者や他のライセンシーにはライセンスをしない義務を課す」場合など）については，このような条項により，ライセンシーは，自ら開発した改良技術を自由に利用することができなくなってしまうため，研究開発意欲が一定程度減退することは否めない。本ガイドラインも，公正競争阻害性を有する場合には，不公正な取引方法に該当する（一般指定12項）とする。

なお，「ライセンシーが開発した改良技術がライセンサーの技術なくしては利用できない場合において，他の事業者にライセンスをする際にはライセンサーの同意を得る」こととする条項については，ライセンシーの改良技術がライセンサーの技術を前提としているのであれば，ライセンシーがその改良技術を自由に利用できなくてもやむを得ないであろう。また，ライセンサーの技術が前提となっている以上，ライセンサーの同意という制限を課しても，過大な制限とまでは言えない。本ガイドラインも，原則として不公正な取引方法に該当しないとする。

4　結び

以上，各条項について公正取引委員会の考え方を俯瞰してきたが，裁判でこれらの条項の有効性が争われた場合には，裁判所によって公正取引委員会の考え方と異なる判断が下される可能性もある。しかしながら，公正取引委員会の運用は本ガイドラインに沿って行われるのであるから，まずは，本ガイドラインの考え方をしっかりと理解した上で，契約条項の策定を行うべきである。

第5章
知的財産をめぐる紛争とライセンス契約

吉川 達夫● *Tatsuo Yoshikawa*

1 侵害警告書

　ある日突然，知的財産侵害に関するレターが送られてきた。ここに挙げた二つの例（日本語・英語）は特許侵害に対する警告書であるが，会社としてどのように対応するか，事前にルールが策定されているか再確認されたい。

（日本語例）

> 　貴社益々ご清栄のことお喜び申し上げます。
> 　弊社は，日本における特許第1234567号を有しておりますが，貴社が販売する製品XYZに関連して，この特許についてご興味があるものと存じます。つきましては，ご説明をさせていただきたいと存じ上げますので，来月お会いさせていただくことを希望いたします。添付は関連資料になります。よろしくお願い申し上げます。
> 　なお，弊社の担当は東京本社知財部長山田太郎となります。

　この日本語例文においては，直接的に侵害についてのクレームを明確にしているものではないが，やんわりと侵害の疑いがあることを伝えている。

（英語例）

> October 1, 2020
>
> Mr. Taro Yamada
> ABCDE Japan, Inc.
>
> Please allow me to introduce myself. I am Tom Patent, the Senior Director in the IP Group of Patent USA, Inc. Patent USA has an extensive patent portfolio relating to technologies such as digital camera.

第5章　知的財産をめぐる紛争とライセンス契約

> Our recent analysis indicates that ABCDE Japan, Inc. should have an interest in obtaining rights under our patents in digital camera. At least, your products infringe our following patents:
>
> 　　　JP08-123456 (USP5,555,555) and JP09-123456 (USP6,666,666)
>
> Therefore, we hereby request the meeting with appropriate member of your company in Tokyo Japan, in November 2020. At the meeting, we can explain about the findings with respect to your product and our patents.
>
> Please let me know your schedule. I look forward to your immediate reply.
>
> Regards,
> Tom Patent

　一方，英文侵害警告書例でははっきりと"infringe"（侵害）があるとしている。警告書には，損害賠償の起点と故意侵害としての意味があり，警告書を無視した場合，裁判所は悪質な侵害者として捉える可能性がある。米国裁判所では，懲罰的賠償（三倍賠償）も認められ，高額な賠償金が請求される可能性がある。日本法においては，特許法103条（過失の推定）の規定のように，侵害警告を受けた企業が警告を無視すると過失が認定される。したがって，警告書を無視することなく，直ちに弁護士や弁理士に相談し，技術を理解できる専門家に鑑定を求めることが重要である。

　まずは特許権者の意図を警告書から読み取り，相手方の態度から，「強行的」「ソフト」「中間的」に分け，戦略を構築する。強行的な場合は訴訟を前提として侵害の即時停止と賠償金の支払いを求めるものであり，ソフトな場合はライセンスを通じた特許使用許諾を求めていると判断できる。後者であれば，侵害の可能性が高くなく，できれば裁判で争いたくないといった事由があるのかを読み取る必要がある。上記の英文警告書の例のように，はっきりと「特許侵害がある」という内容の警告書が使用される場合もあるが，パテントトロール（patent troll）が特許権を行使して巨額の賠償金を獲得しようとするのは外国法人の場合がほとんどであり，日本法人間では多くない。さらに，直接訴訟に持ち込むことは少なく，このように特許権者から事前に何らかの接触がなされることが多い。

　また，侵害警告書を受領した場合，自社製品と相手方特許の内容を調査し，

27

侵害性の判断や対応方針を決定する。侵害性の判断における三要件とは，①有効な特許権の存在，②無権限の実施行為，③実施行為が特許権の権利範囲に入っていることである。この要件に照らして自社製品と特許製品の比較を行うことが必要である。警告書には，まったくの言いがかりであってシロといえる場合や，特許の存在を知らずに自社製品を製造してきたのでほぼクロといえる場合もあるため，こういった事実調査を踏まえてから回答書を作成することになる。なお，警告書には回答期限を設けられているのが通例である。上記の英文警告書サンプルでは1ヵ月後の面談を求めているが，1週間から1ヵ月といった回答期限を設けられることが多い。必ずしも相手方の要求に従って要求事項すべてに回答しなければならないというわけではないが，最低限受領の確認と方針を伝えておくべきである。以下が回答案である。

> 拝啓
> 　時下ますますご清栄のこと，お慶び申し上げます。
> 　さて，貴社からの2020年9月10日付書簡を受領いたしました。お伝えいただきました御社の特許につきまして，弊社において検討を開始いたしました。10月末までには回答を申し上げる所存でございますので，よろしくお願い申し上げます。
> 　　　　　　　　　　　　　　　　　　　　　　　　　　　　　　　　敬具

2　特許侵害通告への対抗手段

　警告書を送付した場合，警告書によって侵害したとされる相手方が侵害行為を中止し，直ちにライセンス契約の交渉を開始すれば，費用のかかる訴訟が排除できる。なお，最終的にライセンス契約を締結する場合も，ランプサム（固定価格方式の契約）なのか，ロイヤルティベースであるのか，契約期間についても検討が必要である。これらは，今後の自社製品の販売の状況予測や中・長期的な戦略によって変わってくるのである。

　一方，侵害警告を受けた場合には，積極的に行動できる。日本においては，「情報提供」と，特許査定後であれば「無効審判」という制度がある。情報提供とは，他人の出願が公開された後，その出願又は特許に対して新規性がないといった特許不許可事由や無効事由を出版物などの証拠を提出して主張す

ることである。特許が成立した場合，情報提供のほかに，無効理由があるとして無効審判を求めることが可能である。なお，相手方も無効審判係属中といえども仮処分手続を行ってくることがあり，この場合は全面戦争（訴訟）となる可能性がある。係争する場合，どこで争うかということを検討することも重要である。日本の現行制度では，裁判所において特許侵害訴訟を提起しても，侵害されたと主張する側は，当該訴訟において特許無効の抗弁を行うこと（特許法104条の3）や特許庁で特許無効を争うことも可能である（いわゆるダブルトラック。特許庁における無効審判と裁判所における無効の抗弁が同一になったので解決時期を一本化する動きがある）。米国においても，米国特許商標庁で争うか，裁判所で争うか，あるいは両方で争うかの検討が必要である。

3　税関における輸入差止め

知的財産権利者は，税関を利用して侵害物品の輸入差止めを行うことができる。これは，知的財産のうち，特許権，実用新案権，意匠権，商標権，著作権，著作隣接権及び育成者権を有する者が，自己の権利を侵害すると認める貨物が輸入されようとする場合，当該貨物の輸入を差し止め，認定手続を執るべきことを申し立てる制度である（関税法69条の13，同施行令62条の17）。侵害物を輸入したとされる者は，もちろん争うことができる。直ちに税関が侵害物品の輸出入を差し止める場合，偽ブランド商品のように即物的に侵害物品を識別できることが必要条件となる。一方，外観から侵害の有無を判断するのは困難な特許権等を侵害する疑いがある物品については，輸入差止めが長期化する可能性がある。この場合，輸入者が不当な損害を被るおそれがあるため，輸入者が一定期間満了後，相当と認める額の通関解放金の提供を条件として税関長へ認定手続を取り止めるよう求め，輸入が差し止められていた物品が解放（輸入許可）される制度がある（通関解放制度：関税法69条の20，同施行令62条の31・62条の32）。ブランド品のように極めて違法品が多いと考えられる製品については，この輸入差止制度を利用することができる。その際には違法品の説明やサンプルの提供が必要となるため，違法品の情報収集も重要である。

第6章
TPP時代の知的財産

中地 充● *Michiru Nakachi*

1　総論

　平成28年2月4日，アジア太平洋地域において，物品及びサービスの貿易並びに投資の自由化及び円滑化を進めるとともに，知的財産，電子商品取引，国有企業，及び環境等幅広い分野で21世紀型の新たなルールを構築する経済連携協定環太平洋パートナーシップ協定（Trans-Pacific Partnership。以下「TPP協定」という）が締結された。

　当時の参加国は，日本やアメリカのほか，オーストラリア，ブルネイ，カナダ，チリ，マレーシア，メキシコ，ニュージーランド，ペルー，シンガポール，ベトナムの12ヵ国であった。

　そして，12ヵ国で合意したTPP協定の内容が国内で法的効力を有するためには，国会の承認を得た上で，条約の内容を具体化した法律の成立や改正を行う必要があった。

　そこで，日本では，平成28年12月9日に「環太平洋パートナーシップ協定の締結に伴う関係法律の整備に関する法律」（平成28年12月16日法律第108号。以下「TPP整備法」という）が成立し，同16日に公布された。

　このTPP整備法に関し，知的財産関係に関する規定の施行期日のほとんどは，「環太平洋パートナーシップ協定が日本国について効力を生じる日」とされていたところ，TPP協定の日本国の発効については，アメリカの批准が必要となっていた。

　ところが，翌平成29年1月23日，第45代目のアメリカの大統領に就任したドナルド・トランプ氏が，TPP協定から離脱する大統領令に署名したことにより，アメリカの批准が事実上不可能となったため，日本における施行の見通しも立たなくなった。

その後，平成29年11月に，ベトナムのダナンにおいて，アメリカを除く11ヵ国で凍結内容も含め，実施すべきTPP協定についての合意が，いわゆるTPP11協定（Comprehensive and Progressive Agreement for Trans-Pacific Partnership）として，成立した。

ところが，このTPP11では，TPP整備法では実施すべき法改正の対象事項とされていた条項，例えば，特許の審査遅延の補填としての特許期間延長や，著作権の保護期間延長の規定等の知的財産権に関する事項が凍結事項とされたため，今後の動向が注目されていた。

その後，上記のTPP11を実施すべく，「環太平洋パートナーシップ協定の締結及び環太平洋パートナーシップに関する包括的及び先進的な協定の締結に伴う関係法律の整備に関する法律」（以下，「TPP11整備法」という）が，平成30年6月29日に成立，同年7月6日に公布された。

結局，このTPP11整備法は基本的に，TPP整備法の正式名称に，「及び環太平洋パートナーシップに関する包括的及び先進的な協定の締結」という文言が付加されて，前記の通りに題名を改正し，かつ，法律の施行期日を，前述のTPP整備法では，「環太平洋パートナーシップ協定が日本国について効力を生じる日」とされていたものを，「環太平洋パートナーシップに関する包括的及び先進的な協定の発効日」に変更したが，法律の基本的な内容については平成28年12月9日に成立したTPP整備法と同内容である。そのため，TPP11の合意事項として，凍結事項とされた知的財産権に関する条項も，今回のTPP11整備法として成立をしたため，今後のライセンス契約に及ぼす影響は大きい。

2　各論

TPP11整備法において，主な知的財産権に関する規定は，特許，商標，著作権である。

また，TPP整備法では，知的財産権に関するものとして，生産者及び需要者の利益を図ることを目的とし，ある商品の品質や評価が，その地理的原産地に由来する場合に，その商品の原産地を特定する表示としての地理的表示（GI）

に関する事項が盛り込まれていたが，既に施行済であるためここでは触れない（これは，前述の通り，TPP整備法の施行日について，他の知的財産権に関する規定は，「環太平洋パートナーシップ協定が日本国について効力を生じる日」が施行日とされていたのに対し，地理的表示については，「公布の日から起算して2月を超えない範囲内において政令で定める日」とされていたため，他の関連法に先立ち施行されたものである）。

したがって，ここでは，基本的に他の知的財産権の主要な部分について扱うこととする。

2.1 特許法

- 特許期間延長制度（出願から5年，審査請求から3年を超過した特許出願の権利化までに生じた不合理な遅滞につき，特許期間の延長を求める制度）の導入。

わが国における特許権の存続期間は，原則として特許の出願をしてから20年である。しかし，特許庁の標準的な処理期間として，出願から審査請求まで約2年，審査請求から特許権の設定登録まで約1年半程度かかることから，出願から権利化（特許権の登録）までに相当の時間がかかってしまう。これに加え，特許庁の事情により，審査期間が更に伸びる事例が存在する。

ところが，特許権の存続期間としては，出願からカウントされるため，登録までの時間がかかればかかるほど，その分，特許権の権利としての保護期間は短くなってしまう。

この点については，一部議論があったものの，このように登録までに時間がかかった場合に，特許権の存続期間の延長を求める制度はなかった。

そこで，TPP協定では，その加盟国に，特許の出願から5年または審査請求から3年のいずれか遅い方を超過した特許出願の権利化までに生じた不合理な遅滞について，特許期間の延長を求める制度の導入が義務付けられ，TPP整備法で整備された上記の内容について盛り込まれ，これがTPP11整備法でも維持された。

これにより，わが国で特許権を取得した者は，特許出願の日から5年を経過した日または出願審査の請求があった日から3年を経過した日のいずれか遅

い日以後に特許権の設定登録があった場合には，特許権の存続期間を延長することを可能とした。

なお，この制度は，現行特許法68条の2の延長登録制度とは異なるものであり，米国特許法における特許期間調整（Patent Term Adjustment／PTA）に類似するものである。

ただし，(1)特許を与える特許庁による特許出願の処理または審査の間に生じたものではない期間（たとえば，特許庁の審決を不服として審決取消訴訟を提起した場合にそれに要した期間や拒絶査定不服審判を行う場合のその期間等），(2)特許を与える特許庁が直接に責めに帰せられない期間（天災等による手続中止期間），(3)特許出願人の責めに帰せられる期間については，延長されないので注意が必要である。

これにより，わが国では，特許権について，特に審査に時間がかかった場合には，合理的な期間の延長が認められるというメリットがある。

もっとも，本来登録されるべき発明が特許権として登録されず，これについて，不服の審判や訴訟を行った結果として登録となった場合に，その期間について，今回の期間延長の制度が適用されない点には個人的には疑義が残るところではある。

いずれにせよ，特許権の審査に遅延があった場合に，それに対応した合理的な期間，特許権の保護期間が延長されることから，今後のライセンス契約に及ぼす影響は大きいといえよう。

すなわち，ライセンス契約では特許権の登録に時間がかかるため，権利の登録前からライセンス契約を締結する事例が少ないところ，特許権の期間の延長があるということは，ライセンス契約の契約期間においてもこれを考慮すべきことになるからである。

- 新規性喪失の例外規定（特許出願前に自ら発明を公表した場合等に，公表日から12ヵ月以内にその者がした特許出願に係る発明は，その公表によって新規性等が否定されないとする規定）の導入。

特許権が登録されるためには，当然のことながら発明の新規性が必要となり，既に公知である発明については，特許権は新規性がないとして登録され

ない(特許法第29条第1項参照)。

　もっとも,特許出願前に自ら発明を公表した等の場合に,特許権の登録が一切許されないとしては,学会等での発明の発表に支障が生じるとして,現行特許法第30条では,発表から出願まで6ヵ月間の猶予期間(グレースピリオド)を与えていた。

　今回のTPP11整備法では,このグレースピリオドを,公表日から6ヵ月から12ヵ月に延長している。したがって,自ら発明を公表した者は,その公表から12ヵ月以内に公表内容を特許出願した場合に限り,その公表によって新規性が否定されないことになる。

　このグレースピリオドの延長は,発明者の保護に資するものであり,発明者とそれを抱える研究機関等の間での契約に影響を及ぼすことが想定される。

2.2　商標法

- 商標の不正使用に対する法定損害賠償制度規定の追加。

　TPP協定の合意事項では,商標の不正使用について法定損害賠償制度または追加的損害賠償制度を設けることを参加国に義務付けていた。これに対応して,平成28年当時,TPP政府対策本部の公表資料では,日本は「民法の原則を踏まえ,追加的な損害賠償ではなく,法定の損害賠償等の制度を設ける」との方針が示されていた。「具体的には,商標の不正使用による損害の賠償を請求する場合において,当該登録商標の取得及び維持に通常要する費用に相当する額を損害額として請求できる規定が追加」されることとされた。

　これを受け,今回のTPP11整備法においても,「商標の不正使用についての損害賠償に関する規定の整備を行う」とされた。

　この点に関し,現行の商標法では,商標権の侵害に対する損害賠償請求については,民法709条の特則として,商標法第38条第1項で,侵害者が故意又は過失により,侵害の行為を組成した物品を販売した場合,その販売個数に権利者が販売していた利益金額を乗じるなどして損害額を算定する計算式が規定されているほか,第2項で,侵害者が故意又は過失により,侵害行為によって利益を得ている場合には,その利益の額を権利者の損害と推定する規定,第3項で,権利者は,故意又は過失によって権利を侵害した者に対し,本来で

あれば取得していたであろう，いわゆるライセンス相当料を損害額として請求できる旨の規定が存在している。

これらは，いずれも，商標権者が被った販売利益やライセンス料を損害として算定するものであったが，これに加え，改正法ではこのほかに，商標の登録や出願に関する費用も請求できる規定が追加された。

具体的には，商標の不正使用に対する損害賠償請求について，「当該登録商標の取得及び維持に通常要する費用に相当する額」を損害賠償として請求できるものとされている。

この規定は，必ずしも損害額が劇的に増加するという規定ではないものの，出願料や登録料といった金額は計算が容易なものであるため，損害賠償請求の最低金額を画するものとして，利用される可能性がある規定といえよう。

なお，「商標の不正使用」とは，登録商標と社会通念上同一の商標の使用による侵害を指し，具体的には，文字の登録商標の場合，全く同一の書体の商標のみならず，書体違い等も不正使用にあたるものとされている。

この改正法は，直接ライセンス契約に影響を及ぼすものではないものの，権利者の保護を厚くする規定であるため，侵害者の数を減らして，適切なライセンス契約を締結すべきという機運を高める一助になるといえよう。

2.3　著作権法

- アクセスコントロールの回避等に関する措置

著作物等の利用を管理する効果的な技術的手段（いわゆる「アクセスコントロール」）等を権限なく回避する行為について，著作権者等の利益を不当に害さない場合を除き，著作権等を侵害する行為とみなし，更に，当該回避を行う装置の販売等の行為について，刑事罰の対象とする規定が追加された。

現在，インターネット上では，動画配信等について，利用料金等を支払った契約者しかこれを閲覧できないいわゆるアクセスコントロールが施されているが，これを回避するプログラムが開発されるなど，不正なアクセス等による権利の侵害事例が後を絶たない。

そこで，TPP11整備法では，このようなアクセスコントロールを回避する行為については，原則として著作権侵害行為とみなす規定を導入するというこ

とである（例外的に，著作権者等の利益を不当に害さない場合は，侵害とならないこととなる）。

また，当該アクセスコントロール等を回避する装置を販売する場合には，これに刑事罰を科すことによって，より権利者の保護を図るというものである。

これらの規定の法改正は，一部のルール違反者に対する民事・刑事のペナルティを科すことによって，権利者を保護する制度であるため，直接的にライセンス契約に影響を及ぼすものではないものの，TPPの根底にある，知的財産権の保護に資するものである。

- 著作物（映画を含む），実演またはレコードの保護期間の延長
  (1) 自然人の生存期間に基づき保護期間が計算される場合には，著作者の生存期間及び著作者の死から少なくとも70年
  (2) 自然人の生存期間に基づき保護期間が計算されない場合には，次のいずれかの期間
      (i) 当該著作物，実演またはレコードの権利者の許諾を得た最初の公表の年の終わりから70年
      (ii) 当該著作物，実演またはレコードの創作から一定期間内に権利者の許諾を得た公表が行われない場合には，当該著作物，実演またはレコードの創作の年の終わりから70年

現行の著作権法では，著作権の保護期間は，著作者の死後（または例外として公表後）50年とされている（なお，映画の著作物に関しては，現行法でも，公表後70年とされている）。

これに対し，今回の改正法では，著作権の保護期間は50年から70年に延長されることになるため，保護期間が20年間延びることになる。したがって，今後の著作権利用に関するライセンス契約については，重大な影響を与えることになる。

- 著作権侵害に対する一部の非親告罪化
  以下の3つの要件のいずれにも該当する著作権の侵害者に対する罰則についての非親告罪化が規定の追加。

要件：①対価を得る目的または権利者の利益を害する目的があること
　　　②有償著作物等について原作のまま譲渡・公衆送信または複製を行うものであること
　　　③有償著作物等の提供・提示により得ることが見込まれる権利者の利益が，不当に害されること

　著作権に対する権利侵害は，民事上の差止請求や損害賠償請求等の対象となるだけではなく，現行法上も，刑事罰が伴う犯罪行為とされている。もっとも，現行の著作権法では，犯罪の処罰を求めるには，被害者（権利を侵害された著作権者）による告訴がなければ，公訴ができない親告罪とされている。

　しかし，TPP11整備法では，上記の3つの要件を満たす著作権侵害行為については，非親告罪とすることによって，著作者の保護を図ることになる（上記3要件を満たさない場合には，以前として親告罪のままであり，被害者の告訴が必要となることに変更はない）。これは，刑事罰という規定であるため，直接的に今後のライセンス契約に影響がある訳ではないものの，侵害者には刑事罰が科されるリスクが増す以上，ライセンス契約を締結しておくべきだという機運は増すであろう。

• 配信音源の二次使用に対する報酬請求権の付与
　放送事業者等がCD等の商業用レコードを用いて放送または有線放送を行う際に，実演家及びレコード製作者に認められている使用料請求権について，その請求範囲を拡大し，配信音源等を用いて放送または有線放送を行う場合についても，使用料請求権を付与する規定の追加。

　現行の著作権法では，放送事業者（有線放送事業者を含む）が，CD等に固定された有体物としての「商業用レコード」を利用して放送を行う場合には，当該レコードの制作者や実演家は，二次使用として，放送事業者に対して使用料を請求することができる。

　もっとも，今般では，レコード等の有体物だけなく，インターネット等を通じた音楽の配信も行われていることから，改正法では，このような配信音源を用いて放送などを行う事業者に対しても，レコード製作者や実演家は，二次使用についての使用料請求権を付与することとし，もって，レコード製作者や実演家

の保護を図るものである。

- 著作権などの権利侵害に対する損害賠償請求制度の規定の見直し

　著作権侵害の場合に，侵害された当該著作権が著作権等管理事業者により管理されている場合には，権利者は，当該著作権等管理事業者の使用料規程により算出した金額（複数ある場合は最も高い額）を損害額として賠償を請求する規定である。

　今回の改正は，著作権の侵害に対する損害賠償請求の損害額の算定に際し，JASRAC等の著作権等管理事業者が著作権を管理し，使用料の規程が存在している場合には，当該規程に基づいて損害を算定する規定を法定するというものである。

　当該改正は，音楽業界におけるJASRACに代表されるような著作権等管理事業者がいる場合には影響はあるものの，著作権等管理事業者がそもそも存在しない場合には関係のない規定となるため，適用される範囲は狭いことが想定される。

3　最後に

　以上の通り，TPP11整備法に基づく法改正の内容は，わが国の知的財産法関係に大きな影響を及ぼすそのものです。特に，特許権の存続期間の延長制度や著作権の存続期間の延長の規定等は，わが国のライセンス契約に多大な影響を与えるものである。

第2部

ライセンス契約失敗事例集

事例❶	マスターライセンス契約とサブライセンシーの倒産
事例❷	ライセンス製品の販売不振
事例❸	ライセンス契約における最恵待遇条項と完全合意条項・修正制限条項
事例❹	ロイヤルティ(ライセンスフィー)の支払いと税金
事例❺	独占権と非独占権との切り替わり
事例❻	ライセンサーの特許権消滅に関するライセンス契約の不備
事例❼	予想しなかった「許諾製品」によるライセンス収入の激減
事例❽	デザイナーの知識不足による不利な契約
事例❾	独占的ライセンス契約の意外な落とし穴
事例❿	アイディアの提供が一転紛争へ
事例⓫	マルティプルライセンスが独占禁止法違反に
事例⓬	ライセンシーによるライセンス技術の改良制限が独占禁止法違反に

事例 ❶
マスターライセンス契約とサブライセンシーの倒産

吉川 達夫● *Tatsuo Yoshikawa*

> マスターライセンス契約を海外ライセンサーと締結したライセンシーが，サブライセンシーとサブライセンス契約を締結し，マスターライセンス契約上のライセンシーとしての履行義務をヘッジ（転嫁）できたと考えていても，サブライセンシーが倒産したことで履行義務をすべてライセンシーが負担することになってしまった事例

【概要】

　日本の商社であるX社は，オーストラリアのZ社とABCブランドの日本における製造販売マスターライセンス契約[*1]を締結し，日本のY1社とは衣類，Y2社とは鞄といったように数社とサブライセンス契約を締結した。ところが，メインのサブライセンシーであったY1社が倒産してしまった。衣類の製造販売が中止となり，ブランドイメージが傷つき，代替サブライセンシーを探すこともできず，結局このブランド事業は失敗に終わった。しかも，Y2は自己やライセンサー／ライセンシーの原因でない事由でライセンスビジネス中止に追い込まれたのである。事実，ライセンシーであるX社は，ライセンサーおよびY2をはじめとした他のサブライセンシーに賠償金を支払うことになってしまった。

【解説】

　マスターライセンスによって，海外ライセンサーと有力ブランドのマスターライセンス権を取得できるが，そのためには資金力が必要である。また，紳

事例❶　マスターライセンス契約とサブライセンシーの倒産

士服や婦人服の製造販売権は欲しいが，時計，貴金属，化粧品，靴下，鞄の製造販売権については不要と考える事業者が単独でライセンサーと契約交渉しても，ライセンサーとしてはできるだけ一括してライセンスしたいといった理由で拒否されることがある。そこでマスターライセンス契約が締結されることになるが，ライセンシーは，複数あるいは単独のサブライセンシーとサブライセンシーが希望する製品ごとにサブライセンス契約を締結する。

ライセンシーとしては，パーセントロイヤルティやミニマムロイヤルティといったライセンス契約上の義務をサブライセンシーに負担させ，料率や金額にマージンを加えて莫大な利益をはかる。たとえば，マスターライセンス契約におけるライセンス料率が4％の場合，サブライセンシー契約におけるライセンス料率を5％にしたり，サブライセンシーからライセンシーに対するライセンス料支払時期をライセンシーからマスターライセンサーへの支払いに比べて早く設定したり，サブライセンスのミニマムライセンス料の総額をマスターライセンスのミニマムライセンス料より大きな金額とすることも可能である。

サブライセンシーの1社が倒産などで契約不履行を起こしても，ライセンシーとしては他のサブライセンシーがいるため，マスターライセンス契約の解除申入れもできない。三者契約でない限り，サブライセンシーの倒産はマスターライセンスの契約解除条項となっていないことが通例である。仮に，マスターライセンス契約を解除した場合，ライセンシーにとっては，マスターライセンス権取得のための多大なライセンス料が無駄になってしまう。また，サブライセンス契約を解除した場合，新たなサブライセンシーが直ちに見つかるわけではない。

1. ライセンシーは，サブライセンス契約を締結しても自らの契約履行義務があることを忘れてはならない。
2. サブライセンシーを選ぶ際には，履行能力を見極めることが必要である。

用語解説

＊1　**マスターライセンス契約**（Master License Agreement／MLA）　あるブランドにかかわるすべて，あるいは異なる種類の複数のアイテムについて，製造販売権といった権利について一括してライセンスを受ける契約。

41

事例 ❷
ライセンス製品の販売不振

吉川 達夫● *Tatsuo Yoshikawa*

> ライセンス製品の販売不振によってライセンス契約の解除をライセンサーに申し入れたが，販売努力義務違反であると主張され，残るミニマムライセンス料に加えて多大な損害賠償金を支払うことになった事例

【概要】

　日本のメーカーであるX社は，ドイツY社とある製造技術に関する日本におけるライセンス契約を締結し，この技術を応用したライセンス商品を製造販売することになった。X社は，契約時に多額のイニシャルライセンスフィーと毎年のミニマムライセンスフィーをコミットした。X社は初年度から最低販売量を達成できなかったため，Y社に契約解除を申し入れたところ，残る契約年度のミニマムライセンスフィーのみならず，多大な損害賠償金を請求された。そもそも，契約締結をした際，なるべく長い年数のライセンス権を確保するために長期にした契約期間とライセンス権を取得するために無理に設定した最低販売量がかえって重荷になった。

【解説】

　ライセンス契約に理由なしで契約解除ができる権利は規定されておらず，契約解除による損害算定の規定がないことも多い。Y社は，「ミニマムライセンスフィーを支払えば契約を終了できるというわけではなく，X社は最大限の販売努力義務規定（best endeavor clause）[1]に違反した」と主張し，X社はミニマムライセンスフィーの残額に加え，さらに損害金額を支払わざるをえなくなった。また，最低販売数量は，契約初年度を少なめに設定してあったものの，最低販売数量は実質的に毎年一定台数となっていたことも問題であった。な

お,契約は常に1月1日に締結するとは限らないため,契約年度の設定として締結日ベースの場合(contract year)と年度ベースの場合(calendar year)がある。

> 〈契約におけるX社の最低販売数量の規定〉
> - 初年度(契約締結日2020年4月1日から2020年12月31日):900台
> - Calendar Year 2年度以降:1200台

無理に締結した契約は,履行ができなくなる。最低販売量を達成できない場合,ライセンサーにおける唯一の救済手段は契約解除であるといった規定や,独占ライセンスを非独占ライセンスに変更することが唯一の救済手段であるといった取決めを行うことで契約解除リスクを少しでも回避することである。

> 契約違反における損害を限定する条項例
> Licensor may, as the sole remedy for the above breach of minimum purchase requirement by Licensee, terminate this Agreement.

1. 契約締結前にライセンス商品の販売計画,価格設定などのフィジビリティスタディ(FS,実行可能性調査)が必要である。
2. 最低販売数量条項や契約解除条項のドラフトは慎重に行い,リスクを見極めて,リスクを軽減するドラフティングの必要がある。

用語解説

*1 **最大限の販売努力義務規定(best endeavor clause)** 最大限の販売努力義務規定違反は,裁判では実際どのような最大の努力が行われたか精査され,販売努力が不十分であるとされることが多い。対案としては,「合理的な努力義務」に修正変更要求することである。
変更前:Licensee shall make the best endeavor to sell the Licensed Products.
修正例:Licensee shall make the reasonable efforts to sell the Licensed Products.

事例 ❸
ライセンス契約における最恵待遇条項と完全合意条項・修正制限条項

西岡 毅● *Tsuyoshi Nishioka*

> ライセンス契約締結後，最恵待遇条項を認める旨の書簡が送付されていても，契約書中に最恵待遇条項がない場合には，同条項の合意は成立しないとされた事例

【概要】

　A社（日本法人）とB社（外国法人）は，液晶パネル等の製造，販売等に関する特許ライセンス契約を締結した際，契約書中に完全合意条項[*1]及び修正制限条項[*2]について明文の規定を設けていたが，最恵待遇条項[*3]は設けていなかった。一方，本件契約締結後，A社の担当者は，B社の担当者に対し「A社がB社の条件よりも有利な条件で他社とライセンス契約を締結した場合には，A社はB社にその旨通知し，B社とのライセンス契約を見直します」等といった書簡を送付していた。

　訴訟では，B社がA社に対してライセンス契約の実施料を支払うにあたり，より有利な条件でA社と契約を締結したライセンシーが存在するとして，最恵待遇条項の合意の存在を主張できるのかが争われた。

【解説】

　本件類似の事案である東京地判平成18年12月25日（判時1964号106頁）は，概ね以下の理由から，最恵待遇条項の合意の存在を否定した。

事例❸　ライセンス契約における最恵待遇条項と完全合意条項・修正制限条項

(1) 最恵待遇条項は実施料の支払いに重大な影響がある以上，仮に合意に達したのであれば明文規定が設けられるはずである。
(2) 完全合意条項が存在する以上，仮に以前に最恵待遇条項の合意があったとしても，契約の時点では，契約書に明文のない最恵待遇条項の合意は成立していない。
(3) 修正制限条項が存在する以上，本件書簡によって最恵待遇条項の合意が成立したとは認めがたい。

この判決は，完全合意条項で事前の合意を遮断し（上記(2)），修正制限条項で事後の合意を遮断したものと評価できる（上記(3)）。

ライセンス契約においては，自社が先行してリスクを引き受け，「ハイリスク・ハイリターン」を狙うことも考えうる。しかし，新規参入会社に好条件でその契約を横取りされれば，先行投資は水泡に帰し，その損失は著しい。そこで，契約書中に明文で最恵待遇条項を設け，新規参入会社を牽制すべきである。

ことに，契約書中に完全合意条項と修正制限条項を設けた場合には，これらの条項によって契約書外の合意は遮断されてしまうことになるため，明文で最恵待遇条項を設けることが肝要となる。

用語解説

＊1　**完全合意条項**　契約書に明記された内容以外の合意の存在を否定する条項をいう。この条項によれば，契約締結以前の交渉過程で成立した合意や了解事項は，たとえ書面によるものであっても，すべて効力を有しないこととなる。
＊2　**修正制限条項**　権限を有する契約当事者の代表者により署名された場合を除いては，契約書の各条項を修正することができないとの条項をいう。
＊3　**最恵待遇条項**　将来，有利な条件で第三者にライセンス実施許諾をする場合には，その条件を自社にも適用するとの条項をいう。

事例 ❹
ロイヤルティ（ライセンスフィー）の支払いと税金

山浦 勝男● *Katsuo Yamaura*

> ライセンス契約の条件交渉において，ライセンサーとライセンシーがロイヤルティの算定料率を議論する一方，そのロイヤルティに賦課される源泉税の負担について相互に認識が異なっていた。結局，ロイヤルティを支払う段階で税金の負担で紛糾し，ライセンシーが負担させられた事例

【概要】

　日本のメーカーであるX社は，米国の研究機関Y社が特許を持つ植物のDNA分析技術を導入するために交渉していた。この植物DNA分析技術は，今までにない画期的な分析方法である。X社は日本市場にいち早くその新技術を導入したいと考えていたが，Y社が提示したロイヤルティが高額だったため，二の足を踏んでいた。他方，Y社も，X社だけでなく他の企業（商社など）からも好条件のオファーを受けており，またその分析技術自体を完成させるためにかなりの開発投資をしてきたため，ロイヤルティを下げる意図はなかった。交渉時間だけが経過しているなかで，互いの妥協点を見出すべくロイヤルティについて交渉がなされ，結局，以下の条件で交渉は妥結，契約締結に至った。

- イニシャルペイメント：1万ドル
- ランニングロイヤルティ：NET SALES PRICEの5％

　ライセンス契約を締結して数日後，実際に1万ドルを米国のY社指定口座に振り込んだところ，Y社から「現在の送金額は9,000ドルであり，1万ドルのはずだ」とクレームが来た。そのY社のクレームでX社の営業部門が経理部門

と法務部門に相談したところ, このライセンス契約の「源泉所得税」の扱いについて問題が発生したことを理解した。

〈X社の主張〉
ロイヤルティに源泉所得税は含まれる。
↓
1万ドルを口座振込みするが, その際1,000ドルが控除され, Y社には9,000ドルを送金される。

〈Y社の主張〉
ロイヤルティに源泉所得税は含まれない。
↓
源泉所得税分を上乗せした1万1,111ドルを振込み, 1,111ドルが控除され1万ドルをY社は受け取る。

なお, Y社が, X社が残る1,000ドルを支払わなければこれ以上契約関係を続けることはできない, ライセンス契約を解除したいと主張したことから, 結局, 税金分をX社が負担することで決着した。さらに, ランニングロイヤルティにおいても同様の条件となり, X社の負担額が増えてしまった。

【解説】

さて, ここでの失敗は,「源泉徴収制度」及び「非居住者に対する所得支払いの源泉徴収」の制度の仕組み, ならびにそれを踏まえた「租税条約」についての認識不足である。このため,「所得税の源泉徴収制度」及び「非居住者(外国法人)に対する所得支払いの源泉徴収」について説明する。

まず,「源泉徴収制度」とは, 給与や報酬など, それらを支払う側が法律や政省令で決められた税率に従って計算した税金をあらかじめ差し引いた上で, 受け取る者に対して支払われる制度のことである。たとえば, 企業に勤めるビジネスパーソンの場合, 毎月の給与を会社から受け取る際に, 事前に所得税が課せられるのを給与明細で見ていると思う。これが源泉徴収制度の代表的な例である。

次に, この源泉所得制度は, 外国人や外国法人など非居住者にどのような

所得の項目で支払う場合にこの制度が適用されるのかである。国税庁は非居住者に対して具体的に源泉徴収すべき所得の項目を挙げており、その一つに「使用料(ここでいうライセンスフィーである)」がある。つまり、日本である技術の実施許諾を受け、その技術を使用し、その対価として使用料を支払う場合、そのあらかじめその金額から課税分を源泉して支払わなければならないのである。

今回の事例に当てはめれば、米国の研究機関Y社から実施許諾を受けている場合、いわゆる「非居住者」であるY社に対するライセンスフィーの課税については、まず日本のX社がライセンスフィーを支払う段階で源泉徴収し、その後Y社に対して支払うということになる。

さて、受け取る外国企業(今回の事例ではY社)の立場からすれば、もし支払国で源泉徴収されてしまえば、その収入に対してその外国で再び所得として課税の対象となるという二国間の租税上の問題、すなわち二重課税の問題に直面することになる。

この問題を解消するため各国で「租税条約」が締結されている。租税条約とは、OECD(経済協力開発機構)がその二重課税防止や脱税防止等を目的として作成した「所得に対する租税に関する二重課税の回避及び脱税の防止のための○○国政府と○○国政府との間の条約」というモデル条約を具体的な二国間で締結した条約をいう。条約の目的は、①二重課税の調整、②租税回避への対応、③投資交流の促進にある。令和2(2020)年3月の財務省の報告によれば、日本との租税条約が適用になる国や地域は76の国や地域にのぼる[*1]。

なお、日米との間では昭和46(1971)年3月8日に租税条約(旧条約といわれる)を締結したが、その後、平成16(2004)年3月に日米間の新条約が発効となった。旧条約上では使用料に関する税率は10％とされていたが、新条約上は免税とされた。なお、このような租税条約がない場合、日本の税法で使用料については20％が適用される。

この事例では、旧条約下での租税条約の料率10％が適用されていた。つまり、X社はライセンスフィーについては10％分を源泉徴収し差し引いて送金することになる。もしX社が5万ドル送金するのであれば、5,000ドルを差

事例❹　ロイヤルティ（ライセンスフィー）の支払いと税金

し引いた額，すなわち4万5,000ドルがY社の受取額となる。つまりY社が受取額として「5万ドル」を要求するならば，X社は5万5,555ドルを用意し送金しなければならなくなる。このように，ロイヤルティの支払いと税金の関係には，ライセンサー・ライセンシーの思惑や支払金額等，解決すべき重要な問題がある。両国間の税制（租税条約の更新状況など）や双方の意図も含め，後で問題とならないよう，事前によく検討・議論をすべきである。

> **ポイント**　日米では平成16（2004）年7月1日から新しい租税条約が適用され，使用料については税金がかからなくなった。このため，現在ではX社がY社に送金する場合，5万ドルのまま送金できるようになった。旧条約下では問題となった事案も，租税条約の改定により解決されたが，米国以外の国から技術導入する場合には，依然として同様の問題が生じるため，ライセンス契約を締結した際には，①ライセンスフィーにかかる税金はどちらが負担するか，②租税条約があるのか，あれば使用料に対する税率はどれくらいか，といったことをあらかじめ調査すべきであろう。

用語解説

＊1　わが国の租税条約ネットワーク　https://www.mof.go.jp/tax_policy/summary/international/tax_convention/index.htm

事例 ❺
独占権と非独占権との切り替わり

山浦 勝男● *Katsuo Yamaura*

> 排他的実施権を許諾し，その対価としてミニマムロイヤルティも設定せず，さらに期待した売上に至らなかった場合の措置（たとえば非独占に切り替えるといったもの）を講じなかったがゆえに，際限もなく独占権を付与し続け，結果として市場での活動が制限されてしまった事例

【概要】

　日本の環境プラント機器メーカーであるX社は，自社で開発した技術・製品の事業拡大のため，積極的にライセンスの供与，販売展開を行っていた。他方，そのX社の技術・製品について関心を持ったドイツのプラントエンジニアリング会社Y社が技術ライセンスを受けたいとし，X及びY社は排他的ライセンス契約を締結し，以下のような条件で合意に達した。

- 排他的ライセンス契約の内容：使用，製造，販売に関する技術の実施許諾
- 許諾地域：欧州全域
- イニシャルペイメント：1,000ドル
- 性能保証：行う
- ランニングロイヤルティ：売上の5％のみ

　契約締結後，1年目は，Y社の販売努力の甲斐もなくほとんどランニングロイヤルティはなかった。Y社は次年度奮起し販売拡大させる旨を伝え，引き続き独占的販売契約の継続を求めてX社は了承した。しかし，2年目も販売努力むなしくX社が期待するロイヤルティは得られなかった。そこでX社はライセンス契約の解除を申し入れたが，Y社から「そもそも独占的販売を認め，また契約期間が3年であるため，その申入れは受けられない」と突っぱねられた。結

局，独占権が維持される一方で，そのＸ社の技術・製品の市場での認知度を落とす結果となった。

【解説】

　この事例における問題点は，ライセンサーであるＸ社が安易にＹ社に独占権を付与したことにある。つまり，Ｘ社は独占権付与の対価として，ある一定のロイヤルティを確保するべくミニマムロイヤルティを設定すべきであったし，ミニマムロイヤルティの条件がなくても，ある基準のロイヤルティを達成しない状態が続く場合には独占権から非独占の権利に切り替えるなどの条件を付すべきであった。

　ここで留意すべき点は，独占的使用権を付与するということは，第三者だけではなく独占権を付与した自らも市場参入して技術を使用することができないということである。上記のように，まずは独占権付与の見返りとして検討すべきはミニマムロイヤルティを設定すべきか否かである。又は，ある売上（最低限の売上）を達成できない状態が続いた場合は，たとえば，独占的実施許諾から非独占の実施許諾に切り替えられることや，あるいは，ライセンス契約を解除する権利がライセンサーに与えられることも検討すべきであろう。

1. 独占権付与の対価としてミニマムロイヤルティを設定すべきかの是非を検討する。
2. 規約締結後ある期間期待されたロイヤルティ収入が得られない場合には，①独占から非独占とする，あるいは②さらに一定期間期待される数値に至らない場合には契約解除する，などを検討すべきである。

事例 ❻
ライセンサーの特許権消滅に関するライセンス契約の不備

横井 康真● *Yasumasa Yokoi*

> ライセンス対象特許が特許料（年金）不払いにより消滅したが，特許ライセンス契約には当該特許が特許料不払いのために消滅した場合の条項がなかったため，また，特許を消滅したことをライセンシーが認識することが遅れたため，支払済みの特許実施料に関し，争いが生じた事例

【概要】

　Aは特許権Xを有している。Bは特許権Xに係る発明の技術的範囲に属する機械を製造・販売しようとしていた。そこで，BはAとの間で特許権Xに関する特許ライセンス契約を締結した。

　当該契約は一般的な内容のものであり，特許権Xが無効となったときは，当該契約は契約期間中であっても終了するという条項や，支払われた特許実施料はいかなる理由があっても返還しない旨の条項が設けられていた。

　特許権Xについては，その存続期間も十分に残存する状況にあり，Bは特許権Xの存続については何の疑いもなく，所定のライセンス料をAに支払っていたが，ライセンス契約の更新時期が近づいたため，念のため特許権Xのステータスを確認したところ，特許権Xは特許料不払いの状態であり，特許料納付期限[*1]を既に約1年前に徒過していることが判明した（特許法112条4項により，特許料納付期間の経過時に特許権消滅）。

　慌てた担当者は直ちにAに連絡を入れたところ，Aにおける特許権の管理に不備があり，A自身も特許料不払いを認識していなかった。

　Bは，現実には存在していない特許権Xに直近の1年間特許実施料を支払っ

ていたことになるため，Aに対し，当該1年分の特許実施料の返還を求めた。

これに対し，Aは，本件契約においては，特許権Xが無効になった場合に関しては当該契約が終了する旨記載されているものの，特許権が特許料不払いで消滅した場合については何ら規定がないのであるから，依然として当該契約は存続しており，それに基づいて特許実施料は支払われたものであること，及び，当該契約には特許実施料不返還条項があることを理由に，特許実施料を返還することはできないと回答をした。

【解説】

本件に関しては，最終的には，「特許実施料」の意義の解釈など，当該契約の文言等について両者間で協議され，ある一定の解決をみたが，特許ライセンス契約のまさに主人公というべき対象特許権の消滅という不測の事態について規定がなされていなかったために，思わぬ紛争を招いた事案であった。

特許料未納による特許権の消滅などという事態は，通常は想定していない事態ではあるが，現実に起こりうる事態ではあるので，万が一に備え，特許ライセンス契約には，特に特許が無効になった場合に限らず「特許権が消滅した場合」についても，やはり契約が直ちに終了するといった内容の規定を設けておくことも考慮に値する。

1. ライセンス契約では，対象となる権利が消滅した場合についても規定しておくことが重要である。
2. 契約当事者は，定期的に対象となる権利がいかなる状態にあるのかをチェックすべきである。

用語解説

*1 **特許料納付期限**　特許法108条1項により，初回（1～3年）の特許料は，特許をすべき旨の査定又は審決の謄本の送達があった日から30日以内に納付すべきことになっている。また，同条2項により，4年目以降の各年分の特許料は，その前年以前に納付しなければならない。もっとも，上記納付期限に特許料を納めない場合，直ちに特許権が消滅するわけではなく，上記の納付期間を経過後，6月以内であれば，特許料の追納が認められる（特許法112条1項）。さらに，上記の追納期間が経過してしまった後でも，特許権者の責めに帰すことができない理由により上記の追納期間に特許料を納付できなかったという場合（例：大地震など）には，その後6月以内であれば特許料の納付が認められる（特許法112条の2第1項）。

事例 ❼
予想しなかった「許諾製品」による ライセンス収入の激減

森下 賢樹 ● *Sakaki Morishita*

> 特許ライセンスにおいて，許諾製品の定義が緩かったため，完成品ではなく部品の形で輸入され，予定したライセンス収入が確保できなかった事例

【概要】

　特許ライセンス契約の解釈にあたり，筆者が依頼を受けたものである。契約はライセンサーである日本のJ社とライセンシーである米国のA社の間で，J社のもつ日本特許について結ばれていた。対象は医療用センサーである。このセンサーは患者から情報を高精度に取得する。センサーの後段には，センサーからの情報に複雑な処理を施して可視化したり，監視する装置が置かれ，センサーが一体となって医療機器として完結する。この医療機器は常にこの完結した形で取引される。A社も以前から完結した形で医療機関へ納入している。

　J社の特許はセンサーの精度を飛躍的に高める技術にある。A社はこのセンサーを医療機器に採用すれば製品の競争力が大幅に改善されることに気付き，J社からライセンスを得た。

　問題は医療機器の納入形態にあった。この医療機器はいつもセンサーと処理装置が一体となって取引されてきたため，J社は当然A社が日本へもその形で輸出すると考えていた。一体であれば装置全体は大きく，かつ売値は高い。そのため，ライセンスの料率は低く設定しても十分大きなライセンス料が得られるはずだった。

事例❼　予想しなかった「許諾製品」によるライセンス収入の激減

　Ａ社からの報告書にＪ社はショックを受けた。Ａ社はセンサーの部分をユニット化して日本へ輸出したのである。センサーユニットだけでは，売値は装置全体の1割にしかならない。Ａ社がＪ社に送金してきたライセンス料は，Ｊ社の予定の1割にしかならなかった。

　Ｊ社が調べたところ，日本の機械系の商社がＡ社からセンサーユニットを購入し，別のメーカーに作らせた処理装置と組み合わせて医療機関へ販売していた。Ｊ社は，全体装置の価格の高さを勘案してライセンスの料率を低くしていたのに，である。

　契約書を調べたところ，以下の事実が分かった。
- ライセンスの対象製品(許諾製品)の定義は単に「日本特許第×号(Ｊ社の特許である)を採用する製品」となっていた。
- ライセンス料は単に「許諾製品の販売額の○％」となっていた。

　これではセンサーのユニットが「許諾製品」となってしまう。そして，そのユニットの販売額に対してライセンスフィーが計算されるのである。

【解説】

　Ｊ社の担当者は「Ａ社の行為は，特許の世界でいう『ノックダウン生産』によって特許を逃れるもの[*1]だ」と思ったが，Ａ社は特許を逃れているわけではない。現にＡ社はＪ社に正しく報告をし，かつ，ライセンスフィーを支払っている。本件ではむしろ「特許権の消尽」[*2]という考え方の方が適用されると思われ，Ａ社の行為は，少なくとも契約書の文言でみる限り，とがめられるものではないのである。

　本件では，Ｊ社は製品としていろいろな態様を想像すべきであった。許諾製品はきちんと製品の型番で定義したり，製品の満たすべき仕様を定めるなど，疑義のないようにすべきであった。そうしておけば，センサーがユニットで売られるときには，Ａ社と再度交渉及びライセンスを結び直す機会があったと考えられる。

1. 特許をライセンスする場合, 許諾製品は製品の型番で明確に定義すべきである。
2. 製品が全体ではなく部分(ユニットごと)で取引可能な場合, 許諾製品やライセンス料の決定には十分注意すべきである。

用語解説

*1 ノックダウン(knock down)による「特許逃れ」 ある国(Xとする)において装置全体に対する特許(装置全体の形でないと効力が及ばない特許)が存在する場合, その装置をX国で組み立てれば特許権の侵害となる。そこで, その装置を複数の部品の状態で特許権がない別の国(Yとする)に輸出し, Y国で装置に組み立てることで, X国における特許権の効力をすり抜ける行為。ただし, このような行為は, わが国の場合「間接侵害」という考え方で侵害行為とみなされうる。

*2 **特許権の消尽** 特許権の効力が及ぶ製品をライセンス等によって適法に譲渡したら, 以降, その製品を譲り受けた人はその製品を自由に処分(使用, 販売, 輸出など)してよいという考え方。

事例 ❽
デザイナーの知識不足による不利な契約

森下 賢樹 ●*Sakaki Morishita*

> デザイナーが自分の創作したキャラクターのイラストの利用について契約をしようとした。しかし，デザイナーは契約の内容が不利であることに気づかなかった事例

【概要】

　デザイナーAが創作した女の子のキャラクター（イラスト）は，テレビ番組のスタジオのセットにも描かれるほど人気があった。

　Aがそのキャラクターと似た雰囲気をもつ別のキャラクターを創作したところ，出版社Bから，出版を予定している占いの本に採用したいという話が来た。本に登場する人物をAのキャラクターにするというものである。Bは出版と同時にウェブサイトも開き，そのサイトでも有料の占いができるよう準備をしていた。そのサイトでもAのキャラクターを全面的に採用したいとの話だった。また，Aのキャラクターのイラストを印刷した各種グッズの販売もすることになった。そのため，Aはそのキャラクターについてbと契約を結ぼうとしていた。

【解説】

　この契約に関し，AはBを相手に個人で交渉をしていたが，その契約の内容に不満があり，筆者に相談がきた。Aの不満はシンプルで，「対価が低い」というものだった。

　BからAに提示された契約の内容を見て，筆者は一読して以下の問題に気

付いた。

(1)「AからBへキャラクターのイラストを納品する」という表現になっていて，著作者の権利がどう扱われるか明確でない。

(2)「納品されるキャラクターと同一又は類似のキャラクターを，今後B以外の相手に納品してはならない」とあるが，「類似」とはどの範囲か明確でない。

(3) キャラクターのイラストを本に載せる以外に，ウェブサイトへの掲載とグッズの販売もあるが，利用の態様や売上に応じた対価の設定がない。

交渉の結果，まず(1)について，「キャラクターのイラストの利用ライセンス」という形に落ち着いた。同時に，著作者人格権についても明確にした。ひと口に著作権といっても，正しくは，「著作者の権利」の中にある狭義の「著作権」（「著作財産権」とも呼ばれるが，本事例で単に「著作権」といえばこれを指す）と「著作者人格権」[*1]（以下，本事例では「人格権」と略す）のうちの前者を指す。人格権についてもきちんと定めるべきである。結果からいえば，この件では人格権もほぼAの希望どおり認めてもらうことができた。

(2)はくせ者である。「納品」は「利用許諾」と読替えができる。そうすると，(2)はいわゆる独占的ライセンスの範囲の問題になる。お金を払う側からすればキャラクターを独占的に利用したいので，このような規定が入る。しかし，「類似」という表現は論争の火種となる。しかも，Aが創作したキャラクターは個性的であり，人気が出ることは容易に想像ができた。

「類似」の範囲は二つの意味をもつ。つまり，①BがAから新たなライセンスを得ずとも利用できる範囲，及び②AがB以外に許諾できない範囲，である。本件でライセンスされるのはキャラクターであるから，姿勢や表情でいろいろな態様がある。Bはそうした態様の違いについてどこまで利用できるのか，一方でAはどの程度態様が違えばB以外に利用許諾できるのか等につき取り決めておくべきである。

まず①について，BはAから提供されるキャラクターのイラストをそのまま利用することにしか興味はなく，改変して使う意図がまったくないことが分かった。そのため，実際に本やウェブサイトへ掲載されるイラスト及びグッズに印刷されるイラストをAとBの間で確定させ，Bはそれら以外のデザインは使

わないと約束した。

②についても,「Bが利用するキャラクターの態様にわずかな改変を加えればよい。たとえば,同じ姿勢のキャラクターでも,キャラクターが涙を流し,又は髪型や服の色を変える程度でAはB以外に利用許諾できる」という合意も得た。これらを契約に盛り込むことにより,Aの今後の創作活動に対する制約を最小限に抑えることができた。Bによる利用の場面が限定的に列挙され,かつキャラクターの姿勢や表情も確定していたため,本件においては複雑な支分権その他の問題を考える必要がなかった。

さらに(3)についても,本の部数,ウェブサイトの有料コンテンツの売上,グッズの売上に応じてそれぞれランニングロイヤリティを入れる合意をとりつけることができた。その結果,Aの不満も解消されたのである。

1. 著作者が著作権制度を熟知していることはまれであり,著作権のライセンス契約には専門家のアドバイスも交えて慎重を期することが望ましい。
2. 著作権とは著作者の権利の一部に過ぎない。著作者はさらに著作者人格権をもつため,その扱いまで決めておく必要がある。
3. ライセンスの対象は明確に規定すべきである。特に,利用許諾をする態様を限定列挙で定めることにより,支分権や二次利用など,著作権固有の複雑な問題を回避できることがある。

用語解説

*1 **著作者人格権** 一身専属性のある権利であり,著作者と不可分である。そのため譲渡不可能とされる。XからYへ著作権を譲渡する場合,Xに著作者人格権が残ってしまうので,著作物を自由に利用したいYにとっては手間が残る。そのため実務では「Xは著作者人格権を行使しない」という約束をすることが多い。著作者人格権には,公表権,氏名表示権,同一性保持権があり,いずれも創作者である著作者の人格的利益に配慮するものである。

事例 ❾
独占的ライセンス契約の意外な落とし穴

青木 武司● *Takeshi Aoki*

> 独占的ライセンスを許諾した相手が特許発明を実施しなかったため，ランニングロイヤルティがまったく入らなかった事例

【概要】

　日本企業のJ社は，幅広い製品に応用可能な新素材の基本特許を国内外で保有する。J社はその新素材を用いた事業を日本で手掛けていたが，海外に拠点をもたないため，海外事業までは手が出せないでいた。そこで，J社は海外事業を自社で進めることは断念し，特許発明の実施を外国企業に許諾するライセンスビジネスを海外で展開して収入を確保する戦略に切り替えた。

　J社は，A社と1年半かけてライセンス交渉を重ねた末，特許発明を独占的に実施する権利をA社に許諾する契約を締結した。J社（ライセンサー）はA社（ライセンシー）との独占的ライセンス契約[*1]を通じた多大なライセンス収入を見込んでいた。A社は米国有数の大企業であり，A社の技術開発力と製品販売力をもってすれば，この新素材を応用した製品が市場に独占的に供給され，一気に販売数を伸ばすと思われたからである。A社との契約の締結はJ社内でも大きなニュースとなった。

　ところが，A社との契約の締結から数年が経過しても，J社のライセンス収入はまったく伸びなかった。新素材を製品に応用するためには一定の技術開発が必要だが，A社の技術開発体制に問題があった。独占的ライセンスを許諾されたA社は，他社に特許をライセンスされる心配がないという安心感も手伝い，自社製品の開発に今ひとつスピード感がなかった。J社は独占的ライ

センス契約の締結時に一時金（イニシャルペイメント）を得ていたが，A社の特許製品が市場に出ない限り，ランニングロイヤルティが得られず，ライセンス収入がいつまでも入ってこない。

　J社は，A社と独占的ライセンス契約を締結している以上，他社にライセンスすることはできない。このままA社が製品開発を進めるのを待っていては，宝の持ち腐れになる。事実，A社と独占的ライセンス契約を締結した後でも，欧州の企業から米国でこの新素材を用いたビジネスを始めたいという申し出がJ社に多数寄せられていたのである。

　そこで，J社は，不本意ながらA社と再交渉し，ランニングロイヤルティの料率を下げる代わりにA社との独占的ライセンス契約を非独占的ライセンス契約に変更することに同意してもらった。

　その後，J社は，A社以外の複数の企業と非独占的ライセンス契約を締結することができた。複数の企業による開発競争により，特許製品の市場が一気に形成され，活性化した。新素材に対する一般消費者の認知度も高まり，製品の売上は急速に拡大していった。その結果，J社のライセンス収入の総額は大幅に増えたのである。

【解説】

　一般に，特許のライセンス契約の交渉の場面では，ライセンシー側は競合他社にライセンスされては困るという思いから，独占的ライセンスを求めることが多く，ライセンサー側としても独占的ライセンスならライセンス料率を高く設定できるため，魅力的に感じやすい。しかし，独占的ライセンスを許諾してもライセンシーが実施しなかった場合，高い料率のランニングロイヤルティもゼロである。ライセンシーの事業計画が十分に練られていなかった場合，実施されずに最終的に契約解除といった最悪の事態を招きかねない。

　独占的ライセンス契約を締結しても，ライセンシーの売上が上がらない場合の一般的な対策として，ミニマムロイヤルティ（最低保証額：実施の状況にかかわらず最低限支払う保証額を定めたもの）を決めておくことが考えられる。また，ミニマムロイヤルティを導入する代わりに，特許発明の実施に関して最善努力義務に関する条項をライセンス契約に設けておくことも考えられ

る。ただし，単なる努力目標で終わらないように，売上に関して満たすべき最低条件を決めておき，ライセンシーがその最低条件を満たすことができない場合，ライセンサーが独占的ライセンス契約を打ち切ることができるなど，具体的な数値目標のある条項にしておく必要がある。

1社と独占的ライセンス契約を締結すると，その1社のみの技術力と販売力に依存することになるため，市場形成が遅れ，市場の成長スピードが鈍るというリスクがある。それに対して，複数の企業と非独占的ライセンス契約を締結すれば，企業間の競争によって市場が活性化し，ライセンス収入が拡大するとともに，特許技術のデファクトスタンダード化を見込むこともできるというメリットがある。特許技術の成熟度，ライセンシーの技術力・販売力，製品市場の成長性などを考慮して，1社に独占的にライセンスするべきか，複数の会社に非独占的にライセンスするべきか，市場動向をも予測して見極める必要があり，高度なビジネスセンスが要求される。

1. 独占的ライセンスを許諾する場合，ライセンシーに実施能力があるか，事業計画が明確であるかをよく見極める必要がある。
2. 1社に独占的ライセンスを許諾するより，複数の会社に非独占的ライセンスを許諾する方が市場の拡大を促し，ライセンス収入を増やせる場合がある。

用語解説

＊1 **独占的ライセンス契約**　日本では，第三者に特許発明の実施を独占的に許諾する契約として，専用実施権を許諾する方法と，独占的な通常実施権を許諾する方法とがある。専用実施権（特許法77条）とは，特許発明を独占的に実施することができる権利である。特許権者が専用実施権を第三者に許諾すると，専用実施権を許諾された者だけが特許発明を実施することができ，特許権者であっても実施はできない。それに対して，通常実施権（特許法78条）を第三者に許諾した場合は，特許権者も実施できる。通常実施権を許諾する際，実施権の許諾者と特許権者のみが特許発明を実施することができる契約（独占的通常実施権許諾契約）にすることができる。この場合，特許権者は，独占的通常実施権を許諾した相手以外の者に通常実施権を許諾することはできない。米国で「独占的ライセンス（exclusive license）」という場合，特約がない限り，特許権者自身による特許発明の実施は認められる。その意味で，日本の特許法に規定された「専用実施権」ではなく，通常実施権に独占性をもたせた「独占的通常実施権」に近いということができる。

事例 ⑩
アイディアの提供が一転紛争へ

吉川 達夫● *Tatsuo Yoshikawa*

> 客先へプレゼンテーション資料を示したところ，客先は示された将来のアイディアから新製品を開発し，特許出願等の権利化をしてしまった。一方，プレゼンテーションを行った会社は他社へ将来のアイディアを提案できなくなった。

【概要】

　新製品開発のための共同研究を提案するため，客先にアイディアを詳細に記した資料を提供したところ，客先はこのアイディアからヒントを得て，提案した会社よりも先に商品化と権利化を進めてしまった。もともと資料提供にあたって秘密保持契約は作成せず，プレゼンテーション資料にも秘密保持に関する条件の記載もなかった。提案した会社も後に商品化に漕ぎつけたが，客先から権利侵害と販売中止を申し入れられてしまった。

【解説】

　新規のアイディアやコンセプトについて，第三者と協力して開発や販売したいと考え，安易に社内資料のみならず第三者向けプレゼンテーション資料に含めてしまうことがある。このようなプレゼンテーション資料をパートナー探しのために提供することは実際よく行われることである。慎重な会社では，秘密保持契約を締結した相手方のみに資料を渡すということもあるであろう。
　ところで，アイディアは権利保護の対象ではない。著作権は，「思想又は感情の創作的な表現」を保護するものであり，技術的なアイディアやノウハウは著作権の保護対象ではない。夢や希望などは保護の対象ではない。表現は保護されるが，表現の背後にあるアイディアについては自由に利用できる

ようになっている。つまり，内容的に共通性が認められても，具体的表現が異なっていれば著作権侵害が否定されるのである。なお，著作権における翻案権[*1]侵害も安易には認められていない。

　なお，営業秘密であれば不正競争防止法の保護対象になることもある点は留意すべきである。一方，開示されたアイディアについてそもそも秘密保持の対象であると当事者が取り扱わなければ保護の対象とはならない。

　アイディア段階で何らかの保護のために世間に公表すると，自分で特許が取得できなくなるケースがある（新規性を有することを定めた特許法29条1項）ことも留意したい。日本が先願主義[*2]であることを忘れてはならない（先に出願した者が特許を取得できるのであり，先に発明した者ではない）。公表は控え，まずは特許出願などの自社の権利確保が必要である。

1. 資料を提供する場合，秘密保持契約の締結（差し入れ形式も可能）を検討すること。
2. 資料には，少なくとも秘密情報である旨の表示を行うこと。
3. 安易に情報を第三者提供しないこと。

用語解説

*1 **翻案権**　著作権の支分権の一つであり，著作物を翻訳し，編曲し，もしくは変形し，又は脚色し，映画化し，その他翻案する専有権利（著作権法27条）。翻案の意味について，江差追分事件（最高裁平成13年6月28日判決）では以下のとおり述べている。
「言語の著作物の翻案（著作権法27条）とは，既存の著作物に依拠し，かつ，その表現上の本質的な特徴の同一性を維持しつつ，具体的表現に修正，増減，変更等を加えて，新たに思想又は感情を創作的に表現することにより，これに接する者が既存の著作物の表現上の本質的な特徴を直接感得することのできる別の著作物を創作する行為をいう。そして，著作権法は，思想又は感情の創作的な表現を保護するものであるから（同法2条1項1号参照），既存の著作物に依拠して創作された著作物が，思想，感情若しくはアイデア，事実若しくは事件など表現それ自体でない部分又は表現上の創作性がない部分において，既存の著作物と同一性を有するにすぎない場合には，翻案には当たらないと解するのが相当である。」

*2 **先願主義**　最初に特許出願を行った者に特許権を与える制度。一方，最初に発明した者に特許権を与える制度を先発明主義といい，採用するのは米国だけであった。しかし，サブマリン特許として批判が多く，米国は先願主義へ移行した。2013年3月16日に施行された特許改革法により，この日以降の有効出願日を有した特許出願に先願主義が適用される。なお，どちらが早く出願したかということだけでなく，各国の先願主義の条件が異なるので注意が必要である。

事例 ⑪
マルティプルライセンスが独占禁止法違反に

吉川 達夫● *Tatsuo Yoshikawa*

> 事業者がもつ知的財産権を複数事業者にライセンスする際,使用許諾条件が違法な共同行為であり,事業者の事業活動の相互拘束にあたるとして独占禁止法違反とされた事例

【概要】

　ライセンス契約における技術の利用に係る制限行為が「事業者が他の事業者と共同して,相互にその事業活動を拘束し又は遂行する」場合,独占禁止法が定める不当な取引制限[*1]規定の適用がある。技術の改良・応用研究,その成果たる技術(「改良技術」)についてライセンスをする相手方,代替技術の採用等を制限する行為も技術の取引分野における競争を実質的に制限する場合には,不当な取引制限に該当する。

【解説】

　マルティプルライセンス契約[*2]では,複数のライセンシーが共通の制限を受けることになるが,当該技術を用いて製造する製品の販売価格,販売数量,販売先等を制限する行為が事業者の事業活動の相互拘束にあたり,当該製品の取引分野における競争を実質的に制限する場合には不当な取引制限となる。
　福岡市向けの公共下水道用鉄蓋について,X社の実用新案を取り入れた仕様を他の事業者にもライセンスすることを条件に採用され,X社は福岡市に納める下水道用鉄蓋取扱業者に実用新案の実施許諾をした事案において,マルティプルライセンス契約における独占禁止法違反が問われた事例がある。

ライセンサー及びライセンシー7社は,販売価格の低下を防ぐために販売価格,販売先,数量比率などを合意(A社が有する実用新案をB社からG社への6社実施許諾するにあたり,取引におけるマージンや残る6社の取引数量を取り決めたこと等)し,これが独占禁止法3条違反とされた(日出水道機器福岡市事件,審判審決平成5年9月10日。なお,同日付北九州市事件もほぼ同様の内容である)。

1. 知的財産権を有している場合においても,その使用は独占禁止法の遵守が必要である。特許法において,特許発明の実施をする権利を専有するという特許権者の権利(特許法68条)があっても,濫用的な競争制限行為まで独占禁止法の適用を除外する趣旨ではない。
2. 公正取引委員会が公表している「知的財産の利用に関する独占禁止法上の指針」によって,実施しようとしている取引について問題とされる点がないかを確認することが重要である。

用語解説

*1 **不当な取引制限** 独占禁止法3条で禁止されている行為。「不当な取引制限」とは,同法2条6項において「事業者が,契約,協定その他何らの名義をもつてするかを問わず,他の事業者と共同して対価を決定し,維持し,若しくは引き上げ,又は数量,技術,製品,設備若しくは取引の相手方を制限する等相互にその事業活動を拘束し,又は遂行することにより,公共の利益に反して,一定の取引分野における競争を実質的に制限することをいう。」と定義され,該当する行為には「カルテル」と「入札談合」がある。

*2 **マルティプルライセンス契約** 同一の権利に基づく実施権を複数の事業者にライセンスすること。

事例⓬
ライセンシーによる
ライセンス技術の改良制限が
独占禁止法違反に

吉川 達夫● *Tatsuo Yoshikawa*

> ライセンス契約交渉において，ライセンサーが，ライセンシーに技術を開示したことでライセンシーが改良技術を開発して特許申請し，よりよい製品を製造されるのは困るとして，独占的グラントバック条項を含めるよう相手方に申し入れた。すると，独占禁止法上問題となる可能性があるので受けられないといわれた。

【概要】

　ライセンス契約において，ライセンサーがライセンシーによるライセンス技術改良についての研究開発に制限を加えたり，ライセンシーからライセンサーへの改良技術の譲渡義務（アサインバック条項）[*1]や独占的ライセンス義務（独占的グラントバック条項）[*2]を課したライセンス契約条項は，独占禁止法上問題となる可能性がある。

【解説】

　ライセンサーからみると，ライセンス技術は自分で開発した技術であるから，ライセンシーが改良等を行ったとしても，そもそも自分のライセンス技術をベースとするものであるから，ライセンシーから第三者に勝手にライセンスされては困るし，自分のものになるべき，あるいは最低限独占的に使用できると考えるかもしれない。ただし，改良技術であっても新規発明であれば特

許を受ける権利は発明者に帰属し，発明者がライセンシーの社員であり，要件を満たせばライセンシーの職務発明となる。したがって，発明者の権利を無視してライセンサーに権利がすべて移転することは特許権に基づく権利とはいえないため，独占禁止法の規制を受けることになる。

　公正取引委員会が公表している「知的財産の利用に関する独占禁止法上の指針」においては，「ライセンシーの自由な研究開発活動を制限する行為は，一般に研究開発をめぐる競争への影響を通じて将来の技術市場又は製品市場における競争を減殺するおそれがあり，公正競争阻害制を有する。したがって，このような制限は原則として不公正な取引方法に該当する」[*3]とし，改良技術の譲渡義務や独占的ライセンス義務については，「技術市場又は製品市場におけるライセンサーの地位を強化し，また，ライセンシーに改良技術を利用させないことによりライセンシーの研究開発意欲を損なうものであり，また，通常，このような制限を課す合理的理由があるとは認められないので，原則として不公正な取引方法に該当する」としている（一般指定12項）。さらに，改良技術のライセンス先を制限する場合も，公正競争阻害性を有する場合は不公正な取引方法に該当する。

改良技術条項をドラフトする場合，独占禁止法に注意して慎重に行う必要がある。非独占的グラントバック条項やオリジナルライセンサーの同意や共有など，さまざまな条件を規定することでバリエーションが可能であるため，比較検討が必要である。

用語解説

*1　**アサインバック条項**　ライセンシーがライセンサーに改良技術等を譲渡する条項。
*2　**グラントバック条項**　ライセンシーがライセンサーに改良技術等をライセンスする条項。
*3　**不公正な取引と公正競争阻害性**　独占禁止法2条では「不公正な取引」を列挙しているが（同法2条9項1号ないし5号），同6号において，同号に掲げる該当する行為であって，公正な競争を阻害するおそれのあるもののうち，公正取引委員会が定めるものも不公正な取引としている。

第3部

有利に進める交渉術

第1章　ノウハウライセンス契約におけるライセンサーとライセンシー
　　　　立場の違いによる交渉戦術
第2章　国際製造販売ライセンス契約のバリエーション条項

第1章
ノウハウライセンス契約における ライセンサーとライセンシー
立場の違いによる交渉戦術

山浦 勝男● *Katsuo Yamaura*

　ライセンサー又はライセンシーのそれぞれ立場での交渉戦術について議論する前に，まず「そもそも論」としてライセンスする対象の「ノウハウ」とは何か，そのノウハウをライセンスするということがライセンサー，ライセンシーにとってどのような意味を持つのかについて議論する。

1　ノウハウとは

　「ノウハウ」は実務的な用語であり，法的，あるいはそれに準ずるような明確な定義はないため，曖昧な印象を受ける。通常，ノウハウというと，企業における秘密性の高い有用な価値であると思っているのではないだろうか。
　そのような秘密性や有用性に着目して，ノウハウを不正競争防止法上の「トレードシークレット（営業秘密）」として読み替えると，不正競争防止法上の法的保護をノウハウ自体が受けることとなる。
　ノウハウがこの法的保護を受ける場合には，①秘密として管理されていること（秘密管理性），②有用な情報であること（有用性），③公然と知られていないこと（非公知性）の3要件を満たすことが求められる。ただし，この3要件を満たすことの立証が容易ではないことから，不正競争防止法での処罰等のハードルは高い。とはいえ，ノウハウの法的保護は，同法の営業秘密による保護が唯一といって過言ではないことから，政府はこの営業秘密の保護のための法改正，あるいはガイドラインの策定など，積極的な営業秘密保護政策をとっ

ている。たとえば，経済産業省は自身のウェブサイトにおいて営業秘密の管理や法体系ならびに事例等を挙げて，企業の営業秘密に関する知識の啓もうを図っている[1]。

2　ノウハウのライセンス契約

次に，ノウハウがライセンス契約上どのように意味づけられるかを議論したい。ノウハウは特許のような排他的な特権が付与されているわけではない。その意味においてノウハウは極めて弱い権利であり，そのようなノウハウをライセンスする／されるわけであるから，そのノウハウの性格を押さえた開示や，資料の使用許諾をする／されるライセンサー／ライセンシー側に立って交渉戦術を考える必要がある。

3　ライセンサー側に立った交渉戦術

3.1　そもそもノウハウを開示／ライセンスすべきか

ノウハウライセンス契約のライセンサー側に立った交渉戦術では，まずノウハウライセンスの戦略面，つまり，そもそもノウハウを相手方に開示すべきかという本質的な問題は検討する必要がある。ノウハウは，繰り返すが知的財産権の中では法的保護を受けるには弱く，その範囲も曖昧で，1回でも見せてしまうと公知となる可能性が極めて高く，第三者にノウハウという権利でもって抗弁できない。それゆえ，そもそもノウハウを開示すべきなのか，すべきでないのかといったことを十分に議論しなければならない。一つの考え方として，ノウハウを開示せずブラックボックス化することもあるだろう。また，もう一つの考え方として，ノウハウの技術を積極的に開示することで，このノウハウをいわゆる業界のデファクト・スタンダードとするようなこともあるであろ

---

[1]　経済産業省ウェブサイトの不正競争防止関連情報を参照されたい。
　　http://www.meti.go.jp/policy/economy/chizai/chiteki/trade-secret.html

う。えてして，ノウハウライセンス契約の交渉の場合，事業のスピードを追い求めるあまり，このような本質的な議論を飛ばして，自らのノウハウの価値を軽く見る中で，気楽にライセンスすることを前提に事業の組立てをし，瑣末な契約条件論に陥る事例が多い。ノウハウ開示／ライセンスは，事業戦略と密接不可分の関係にあることから，事業立案においてノウハウ開示／ライセンスの是非につきじっくり議論すべきであろう。

3.2　オプション契約

　事業上よくあるケースとして，最初からライセンス契約に入るのではなく，オプション契約などによりノウハウの評価を行ってからライセンス契約に入ることがある。ノウハウを導入するライセンシーからみれば，ノウハウが本当に「価値あるもの」かどうかを評価したいので，契約前あるいは契約の最初ですべてのノウハウの開示をライセンサーに求めるであろう。しかし，一旦相手方にすべてのノウハウを開示すれば，いくら契約上営業秘密と定義しても，その時点でノウハウが持つ秘密性や非公知性を失ってしまう可能性が高い。そこで，ライセンサーとしてはオプション契約でノウハウ開示範囲や内容を慎重に検討し，仮にノウハウの開示を行うとしても徐々に開示することがある。たとえば，ノウハウの開示についてオプション権を設定し，そのオプション権を段階的に行使させることで，ノウハウの段階的な情報開示とすることである。そのオプション権行使の範囲をノウハウの「肝」以外とする一方，それら周辺部のノウハウを段階的に開示するオプション権を付与することですべてのノウハウを開示しないという方法である。当然ながら，オプションが行使されないなど不首尾に終わった場合には，開示を受けたノウハウの契約終了後の不使用について規定するのはいうまでもない。

3.3　ノウハウ開示範囲を決める

　具体的なノウハウライセンス契約でのライセンサー側の基本的な戦術の組立ては，秘密保持に関する条件とほぼ同じである。ライセンサー側としては，あらかじめ，以下のように条件を詰めておく必要がある。
　まず，秘密情報の範囲と同様，契約上において開示するノウハウの範囲及

び実際に開示するノウハウの範囲を決めておく必要がある。契約書や技術仕様書だけでは言い表せない実務の部分(口頭などの指示,あるいはメモなど)があるからだ。また,ライセンサーであるからといって,すべてノウハウを開示する必要はなく,「肝」の部分を保ちつつ,いかにライセンシーに価値のあるものとしてノウハウを開示し続けるかを検討する必要がある。他方,ノウハウの「ブラックボックス化」が可能かどうかについても検討を要する。そこでは,段階的な開示,つまりノウハウを段階的に開示しつつ,対価を得ていく方法もあるだろうし,前述したオプション方式で,ある段階以上の開示についてはオプション権を付与することもある。

　開示方法については,ノウハウが曖昧であることを十分認識した上で,どのように開示していくか検討すべきである。また,開示範囲を文書化しておくことも重要である(開示部分の文書化については後述する)。他方,契約の条件においてもノウハウの「曖昧さ」を念頭に入れて作成したライセンス契約とすることもある。たとえば,以下のような秘密保持条件を挙げる。

> "Licensor's Confidential Information" means all information, knowledge or data of or relating to the Licensor hereto or any of its Affiliates or their respective businesses, including without limitation, information, knowledge or data relating to research, technology, development, manufacturing, purchasing, engineering, marketing, merchandising, selling, trade secrets, trade lists, processes, products, techniques, inventions, know-how or ideas relating to the Licensor's or its Affiliate's operations or any of its or their respective products and includes any such information transmitted visually by observation of equipment or facilities, obtained audibly in conference or obtained in the form of or from documents, samples, specimens, parts, drawings, specifications, manuals, photographs, computer software of any kind, computer tapes and printouts or other machine readable reports.

　ここでは,ライセンサーやその関連会社が提供するすべての情報(ノウハウも含む)を秘密情報とし,それも口頭であろうが,文書であろうが,さらに目で見たものであろうがすべて秘密情報に含まれるとしている。

> That specific information shall not be deemed to be in the public domain or the Licensee's possession merely because it is embraced by a more general disclosure and combinations of information shall not be deemed in the public domain or the Licensee's possession merely because individual features are in the public domain or the Licensee's possession, unless the combination of features or nexus are in the public domain or the Licensee's possession.

　一方，上記条件は，たとえ個々の情報が公知であったり，ライセンシーのものであったりしたとしても，全体の情報が公知であったり，ライセンシーのものとしないという規定である。これによりライセンサーのノウハウを開示する立場として補強されるわけであるが，このような手法を組み合わせていくことも，ノウハウ開示における重要な戦術である。また，当然ながらノウハウが化体された技術資料の内容，送付についてその範囲を明確に規定すべきであろう。通常，Appendixなど契約本文とは別に添付され，その内容を詳細に規定することで「見せる」ノウハウを限定できる。結局，重要なのはノウハウの何を開示するのか(しないのか)を決めておくことである。さらに，これら開示する情報について，秘密保持契約にあるようにノウハウを開示する相手方の範囲も確定すべきであろう。コアな技術を開示し，現地指導する場合，段階別に管理し，ほぼ公知であるノウハウの技術とノウハウの「肝」の技術が分けられるかどうか。また，分離不能である場合には相手方のどのレベルまで開示するか，それは役員までなのか，現場の従業者まで含むのかといったことを考えなければならない。ライセンシーの現場従業員が退社して似たような製品を作る可能性もある。ノウハウの程度にもよるが，ライセンシーの従業員に対してライセンサーの従業員に課しているのと同程度の秘密情報管理を行うべきである。

3.4　技術支援の方法，態様

　ライセンス契約では，ライセンシーの技量にもよるが，通常はライセンサーが何らかの形でライセンシーに対して技術指導することが予想される。その場合，技術者の派遣人数，期間，費用といったことを細かく決めておく必要がある。また，ライセンシーから技術者などを受け入れる場合でも，手順，期間，

費用といったことまで，事細かな条件を設定する必要がある。これらについては，技術保証とも絡んで期間や費用が青天井のようにかかることが予想される。「技術指導がうまくいかないから性能が出ない」，「技術指導を継続して保証すべきだ」といったライセンシーからの議論については，ライセンサーとしてはまずライセンシーの技量を評価すべきであろう。

　ライセンサーとしては，技術支援の状況下ではある一定の期間と人数に絞り，その費用をライセンサーが負担すると限定した上で，それ以外については有償（ライセンシー負担），または派遣しないといった条件を検討するべきである。この点は案外見過ごしがちであるが，実際に技術指導が始まるとカウンターブローのように効いてくる内容である。交渉においてはこのような細かな点にまで気配りし，ライセンシーにぶつけていくことが重要である。

3.5　技術の保証はするのか

　次に，ノウハウを開示するライセンサーとして交渉に臨む上で考えるべきカードは，ノウハウについて保証をするかどうかであろう。このノウハウ保証については，当事者が双方議論する最も重要な鍵である。ここでライセンシー側から要求される保証として，以下のような項目が想定される。

- ノウハウ自体の保証（正当な権利者かどうか，またノウハウに瑕疵がないことの保証）
- ノウハウにより生み出された成果物（製品など）の保証
- ノウハウにより生産される量などの性能の保証
- ノウハウと第三者の知的財産権との間の紛争について対応するという保証

このような場合，保証を受け付けないという選択肢がまず挙げられる。ライセンシーの技術的能力や製造能力などについて契約当時にフィジビリティスタディ（Feasibility study, 実行可能性調査）を実施したとしても，実際のところは分からないからである。また，将来起こると想定される訴訟リスクを負うこともできないであろう。特に性能保証などは，際限のない費用負担ということになろう。具体的な例を挙げると，あるおもちゃ製造プラントにおいてライセンシーが製造する生産能力まで保証することになると，万が一，生産能力

について1ヵ月当たり100個を保証していたにもかかわらず80個しか生産できない場合，その未達成分を含めての保証を要求されるということが考えられるし，達成できるまで延々と技術者を派遣するなどの費用がかさむことが容易に想像できる。これでは，当然ながら得られるライセンスフィーとの釣り合いが保てない。

　したがって，当初の交渉では「ノウハウの保証はできない（しない）」ということで臨むことになる。しかし，交渉の過程では，ある種の妥協が必要になることもある。その場合，技術資料の提供範囲の厳格な設定と同様，保証の範囲について内容を細かく決めておくべきである。上記の例でいえば，プラントの性能達成について最低保証を設けたり，未達成の場合の予定損害賠償金を決めておいたりということである。ここで重要なのは，損害について，ノウハウライセンス契約から得られる対価以上の責任を負わないことである。

　ただ，知的財産権の紛争に対する保証は，ライセンサーとして単純にその保証を負わないとは判断しづらい。なぜなら，知的財産権の保証は優れて今後の事業と密接に絡むからである。たとえば，ライセンシーが勝手に対応・妥協したがゆえにノウハウが第三者のものと認定され，その結果，ライセンサーが各地でその使用料を第三者に払うということで紛争が決着したらどうなるか。ライセンサーは，知的財産権の紛争の局外に立つというスタンスもあれば，積極的に介入しつつ紛争を解決するスタンスもある。知的財産権の保護については，ライセンサーとして自ら持つノウハウについてのリスク及びその対応のシナリオを策定しておくことになる。

3.6　グラントバック，改良技術など

　ライセンスしたノウハウによりライセンシーが改良技術を開発することが想定される場合，ライセンサーとして交渉に臨む上ではかなり悩ましい問題となる。これは，当初からライセンスする場合のフィジビリティスタディにおいてライセンシーにそのような開発を期待しているのか，又は期待していないのかで大きく交渉態度は異なる。期待している場合には，たとえば技術開発の評価委員会を設立し，当該技術の成果の持分からグラントバックの方法など，共同研究開発にあるような手順なりシナリオを考えるべきである。それでも，こ

うした改良技術の取扱いについてライセンシー側からの提案を待つことなく積極的に提示するか，それとも対案を待つか決めておかなければならない。

3.7　ノウハウライセンス契約の終了

　ライセンス契約を終了させる場合，ノウハウの秘密性を担保する観点に立てば，秘密保持契約と同様にノウハウを第三者への開示をしないといったことを決めておくべきであり，契約終了後も秘密保持を遵守すべきことを規定することになる。これがなければ非公知性なり秘密管理性を自ら放棄したことになるからだ。さらに，ライセンシーが開示を受けたノウハウで契約終了後に製造，販売を始めるリスクがある。契約締結時点では契約終了後のことまで目が行き届かないものだが，先を見据えて，契約終了時点におけるノウハウの開示禁止のみならず，ライセンスされたノウハウによる製造や開発を制限する条項を盛り込むことを検討する必要がある。ノウハウの秘密管理性や非公知性を考えれば，制限することは妥当な方法である。

　しかし，「永久」に制限することは可能だろうか。秘密性が確保できる限り（極端にいえば未来永劫）ノウハウとして主張できるだろう。しかし，秘密性の確保が永久に可能かどうかは疑問である。特に途上国では，このような制限的な項目を設けることについて当該国の法律で規制する場合がある。むき出しの権利意識ではなく，ライセンシー国の制度を理解した上で契約終了後の制限条件について提示しなければならない。仮に当初はライセンシーが諾々と従ったとしても，後でライセンシーがそのような不当な契約を「押しつけた」としてライセンシー国の政府に届け出ることで，契約そのものを無効とする可能性も否定できないからである。強気一辺倒の交渉で相手が条件を飲んだと油断せず，どのような背景で条件を受け入れたか（他社のライセンスフィーとの条件の兼合いや競合問題など），さらにライセンシー国の規制を踏まえて条件づけをする必要がある。

　いずれにしても，少なくとも以上の項目についてはシミュレーションした上で，さまざまな代替案を考えながら所与の目的をどのように達成するかを検討すべきである。

4 ライセンシー側に立った交渉戦術

4.1 そもそもノウハウを導入する理由は何か

　ライセンシーの立場に立った交渉戦術を考えると，まずは，事業戦略上におけるノウハウ導入理由を明確にする必要がある。優れたノウハウだと思って導入したものの，市場環境の変化でノウハウが活かしきれなかった，時流に合わせてノウハウを導入したつもりが結果的には事業環境の変化によって十分にそのノウハウの優位性が発揮できなかったなどといった失敗例も頭をよぎるのではないだろうか。当然，ノウハウを導入する契約の締結以前の段階として，ライセンシーは技術評価を含めて導入の必要性やその効果などを分析しておかなければならない。それは単なる「見込み」ではなく，実際の市場での動き，競合他社の状況など3C (Customer, Competitor, Company) を踏まえて，導入するシナリオが適切か否かの判断をしなければならない。

　ノウハウなど技術の導入には，事業のスピードアップ，つまり自主開発による費用や時間を短縮できるメリットがある。世界的な競争の時代では，半年で結果を出さなければならないものもある。しかし，ノウハウが開示されることによってライセンサーから今後の技術利用について契約上制限され，当然，ノウハウの使用料，ライセンスフィーは製品の利益に対してある一定の料率をかけられるため利益は減少する。ノウハウの導入は，開発費用を抑えるためということもできるが，実際は，足かせをはめられた上にライセンサーに利益を吸い取られるだけである場合も多い。そのノウハウの導入理由という事業戦略が決まってこその戦術論である。

4.2 オプションや秘密保持契約における交渉

　次に戦術面に入るわけだが，ライセンサーでの議論同様，ライセンシーでも秘密保持契約の受領者側に立った交渉戦術に似た戦術をとることになる。ライセンシーも，導入するノウハウの評価を行うためにフィジビリティスタディを実施するだろうし，当然その部分においてはライセンサーとオプション契約や秘密保持契約を結ぶ。この際に交渉上留意すべきことは，実際に開示を受け

ようとするノウハウと自社で持っているノウハウとの差異を把握しているか，また，先行技術があるかどうかを理解した上でライセンサー側と交渉しているかである。自社のノウハウとまったく重複しないノウハウであればよいが，えてして導入しようとするノウハウには自社に先行するノウハウがあったり，類似のノウハウが存在したりすることもある。導入の理由が開発費用を抑えることであるほど，この状況に陥りやすい。

　上記の議論を経ずに，他社のノウハウについてオプション契約あるいは秘密保持契約を締結し，その後，やはりライセンス契約を終了することを判断したとしよう。契約終了後，自社（と主張する）ノウハウを使って別の製品（類似品）を製造した場合，ライセンサー（又は情報開示者）から（開示者の）ノウハウを勝手に使って販売しているとクレームを受けるのは明白である。

　では，どうすべきか。ライセンシーは，自社で類似のノウハウ開発を行っており，また先行するノウハウもあることをあらかじめライセンサーに伝えるべきである。そのうえで，情報開示された場合には，導入予定ノウハウと自社の先行ノウハウとは違うことを明確にすべきである。この場合の鉄則は，「嘘はついてはならないが，すべてを言う必要はない」ことである。互いにプロの技術者同士であれば，ライセンシー側からの申し出についてライセンサーも大体の推測が働き，それでもフィジビリティスタディを実施するか，やめるかという判断が働く。導入理由とも絡んで，自社ノウハウと導入予定ノウハウとの関係を，知的財産権としての側面のみならず内容の比較をすることが肝心である。

　さて，いよいよライセンシー側に立ったノウハウライセンス契約での交渉戦術である。次のような組立てを考えよう。基本的にはライセンサーの戦術と逆の組立てだが，非対称の部分があるので注意を要する。

4.3　ノウハウ開示範囲

　ライセンシーの立場に立って考えると，一体ノウハウはどこまでを指すのだろうか。どのような形で情報が開示されるかについて，厳格にノウハウの枠組みをつくることから始める。つまり，ノウハウの「書面化」であろう。秘密保持契約の場合，秘密情報というと書面，又は口頭で伝えられる場合がある。

そこで，口頭での開示の場合には，口頭で開示されたノウハウについて文書化する（できる限り30日以内に）ことでノウハウの開示範囲を厳密に決めておくのである。

ただ，この「書面化」も長短がある。ノウハウを導入する過程においては思いどおりの仕様や製品ができないことはしばしばある。そうなると，継続的にライセンサーから技術指導を受ける必要があるため，書面化を徹底すれば，ライセンサーから「情報開示なり技術指導なりするたびに書面化していたら機動的に対応できない。実務上ライセンサーとしては技術指導を継続することができない」ということで開示や技術指導を渋られることがあるからだ。この点の解決方法は，保証条件と絡めてライセンサーからしっかり技術支援を受けること（「ライセンシーの製造する製品がライセンサーの製品と同じ仕様になるまで」など）をきちんと条件づけしておくことである。実務上（契約書上ではない，相対で教えられる場合）の開示方法について，実際にノウハウの開示を受ける現場担当者と開示の方法などについて打ち合わせし，その実務に即してライセンサーと交渉すべきであろう。

4.4 技術の保証

ライセンシーの立場でも，以下のようなノウハウの保証はライセンスの目的とも絡んで重要な項目である。

- ノウハウ自体の保証（正当な権利者かどうか，またノウハウに瑕疵がないことの保証）
- ノウハウにより生み出された成果物（製品など）の保証
- ノウハウにより生産される量などの性能の保証
- ノウハウと第三者の知的財産権との間の紛争について対応するという保証

ライセンシーとしては，上記の4条件とライセンスフィーとを一緒に交渉すべきである。ノウハウを導入する以上，その技術が使えること，そのノウハウに基づいた製品が第三者の知的財産権を侵害していないことが大前提となる。上記4条件が保証されなければ，何のために技術導入したのか，何のために高いロイヤルティを支払ったのかということになろう。この点について，

ライセンシーとしては妥協すべき条件ではないが，同時に，妥協点を探る意味でどこまでの保証をライセンサーに求めるのかについて，ある程度の落としどころの条件を用意しておかなければならない。

　技術そのものの保証については考えやすいだろう。しかし，問題となるのはその技術による第三者損害や間接，結果損害といった広がりのある損害賠償についてどうするかである。この問題は，契約交渉自体を終わらせてしまうくらいのインパクトがある。たとえば，ロイヤルティが数億円でしかない契約なのに，損害額が50億円と見積られた場合，その差額分についてすべてをライセンシーが負うということについてどのような判断を下すべきか。損害賠償や補償条項において，ライセンサー側がすべて負担すべし，とするとかなりライセンサーから抵抗を受けるだろう。さらに，ライセンサーは，第三者の知的財産権侵害訴訟についても実際に市場開拓するのはライセンシーなのだからライセンシーが負担すべきである，と主張することが予想される。ライセンシーは，ノウハウの真の権利者としてのライセンサーが損害賠償のある程度を負うべき（市場性などを考慮して）である，あるいは，知的財産権の状況も十分に調査すべきであるといった主張を行い，責任限定の範囲を拡大させる交渉を行うべきである。

4.5　ロイヤルティと税金

　ロイヤルティは，その技術指導や保証の対価として支払うものであり，ライセンサーと最も紛争を生じやすい条件である。そもそも一括払いとしてのイニシャルペイメントか，分割払いとしてのランニングペイメントか，単純化していえば，このどちらか又はどちらの比率を高くするかにより両者の意見が食い違う。ライセンシーの立場であれば，当然ランニングペイメントの部分を厚くするのであろうが，そこはライセンサーと十分に交渉し，また他の条件と絡めて決められるべきである。

　なお，ロイヤルティを支払う側として，どうしても税金の問題は避けることができない。ライセンスフィーの金額は税引前か，税引後かを決めなければならない。交渉相手の二国間の租税条約の有無を確認しながら，ライセンサーに対して税金分を控除した額を支払うことを前提に交渉すべきであろう。ま

た租税条約の更改時に使用料が免除になったものもあるため，常に租税条約の最新状況を把握しておき，その状況を基に交渉すべきである。

4.6 契約終了後への布石

　ライセンシーとしては，ノウハウの使用を続けたいところであるが，ライセンサーから何らかの制限条件を付されることも多い。ライセンサーとしては，ライセンシーが契約終了時に競合会社として市場に残ることを嫌うからである。そこでノウハウの範囲と絡んで重要になってくるのが，契約終了後に関する取決めである。ライセンサーは，契約終了後においてライセンシーのノウハウ使用やそのノウハウによる製品の製造，販売に関して制限を課してくる。このような場合，ライセンシーは，ライセンサーが示した契約終了後に関するノウハウの利用制限が公正取引委員会の「知的財産の利用に関する独占禁止法上の指針」に抵触する可能性があることを提示することである。ただし，この指針への抵触を持ち出して「契約終了後の制限」が直ちに独占禁止法違反とする議論は，短絡的といえよう。ノウハウの持つ秘密性や有用性（あるいは儚い権利）に鑑みると，ライセンサーのライセンシーに対する制限はある程度認められるからだ。ライセンシーは，直ちに独占禁止法違反という議論ではなく，その制限はある程度合理的には認めつつ，その制限が不合理なもの（たとえば「永遠」に制限するとか）は指針に抵触するから，制限について期間を設ける，あるいは一定の地域については認めさせるといったことを考えることが求められる。

　また，ライセンシーとしては平成7（1995）年10月13日の公正取引委員会の勧告審決「旭電化工業（株）に対する件」（平成7年（勧）第14号）での議論—ライセンス契約終了時における制限が果たして独禁法に抵触するか—など過去の審決などを分析し，その事業環境や市場などを考慮した上で，ライセンシーの有利な材料でもってライセンサーと議論すべきである。

4.7　Residualの利用

　Residualsとは，秘密保持契約書でよく使われる条件で「残り物」という意味であるが，まずは以下の条件をみてほしい。

> "Residuals" shall mean the Confidential Information disclosed under this Agreement that may be retained in intangible form by the Recipient's directors or employee having had access to that Confidential Information in connection with this Agreement so long as the Recipient's director or employee do not intentionally retain Confidential Information for the purpose of its reuse. Notwithstanding anything to the contrary in this Agreement, the Recipient shall be free to use residuals for any purpose, including use in development, manufacture, marketing and maintenance of their own products and services. The Recipient shall be free to use for any purpose the residuals resulting from access to or work with the Confidential Information of the Disclosing Party, provided that the Recipient shall not disclose the Confidential Information except as expressly permitted hereunder. The term "residuals" means information in intangible form, which is retained in memory by persons who have had access to the Confidential Information, including ideas, concepts, know-how or techniques contained therein. The Recipient shall not have any obligation to limit or restrict the assignment of such persons or to pay royalties for any work resulting from the use of residuals.

　上記の条件にように，実際秘密情報を目にしたときに頭に残った情報については「消す」ことはできない。このような情報については自由に使うことができるようにするための条件が，このResiduals条件である。ライセンシーとしては，当然，自由な情報の使用，発展のために利用することは十分に考えられる。これが認められる余地があるのかどうかは分からないが，ライセンシーが契約終了後もフリーハンドを維持するためにも，交渉の俎上に載せてもよいだろう。

　ライセンシーは，そのライセンスフィーのみならず契約終了後の行く末についても真剣に議論しなければ，契約はしたが最後まで拘束され続けることになる。したがって，ライセンシーの交渉は，「契約の終わりに向けた交渉を初めから行う」という姿勢でライセンサーと臨んだ方が，案外うまくいくのではなかろうか。

第2章
国際製造販売ライセンス契約のバリエーション条項

吉川 達夫● *Tatsuo Yoshikawa*

　本章では，姉妹書『ライセンス契約のすべて』基礎編の製造販売ライセンス契約をベースにした契約書に対して契約書条項のバリエーションを示した。ファーストドラフト提示は，最終的に合意される中間的な条件を含む契約と相手方から予想される対案を想定し，バリエーション条項を使用して自社に有利な案を準備し（Battle of Forms），実際の契約交渉においては交渉を有利に進めることが肝要である。もちろん，無意味に自社の有利条項で固めすぎたファーストドラフトを提示すると交渉自体が破綻する危険性がある。なお，本章では英文契約書の仕組みも理解できるように，おさえるべき契約ポイントについての説明も行った。

1　頭書　☞モデル契約書3-2-1（契約書全文）・3-2-2以下（バリエーション条項）

MANUFACTURE AND SALES LICENSE AGREEMENT

This AGREEMENT made and entered into this [　　] day of [month], 2020 (hereinafter referred to as "Effective Date") by and between Licensor Corporation, a corporation organized and existing under the laws of [name of country] and having its principal office at [address] (hereinafter referred to as "Licensor") and Licensee Corporation, a corporation organized and existing under the laws of [name of country] and having its principal office at [address] (hereinafter referred to as "Licensee").

WITNESSETH THAT:

第2章　国際製造販売ライセンス契約のバリエーション条項

> 〈参考訳〉
>
> 製造販売ライセンス契約
>
> 　本契約は，2020年［　月　日］(以下，発効日という)に，[国名]の法律に基づき設立され，存続し，その事業の主たる事務所を[住所]に有する法人，ライセンサー・コーポレーション(以下，ライセンサーという)と，[国名]の法律に基づき設立され，存続し，その事業の主たる事務所を[住所]に有する法人，ライセンシー・コーポレーション(以下，ライセンシーという)との間に締結された。

　This Agreement made にはisという動詞がない。この理由は，英文契約書がThis Agreementを主語にし，witnessethという古い英語で「証する」という意味の動詞で，that以下の契約本文を内容として述べているからである。

◎ 他の表現 [neutral] ／頭書において，witnessethを使わない表現

　　　　　　　　　　　　　　　　　　　　　　　🖙 モデル契約書3-2-2

> This AGREEMENT is made and entered into this [　　] day of [month], 2020 ("Effective Date") by and between Licensor Corporation, a corporation organized and existing under the laws of [name of country] and having its principal office at [address] ("Licensor") and Licensee Corporation, a corporation organized and existing under the laws of [name of country] and having its principal office at [address] ("Licensee").

　頭書でwitnessethを使わない場合，This Agreement is madeと動詞が加えられる。この文章をピリオドで止め，このままwhereas clause (前文) につなげてよい。

2　前文

> **WHEREAS,** Licensor has for many years been engaged in the design, manufacture and sale of [name of product] and has acquired a substantial amount of technical information, know-how, knowledge, experience relating

thereto; and

WHEREAS, Licensee is desirous of obtaining the right and license to manufacture, use and sell [name of product] by receiving the information, know-how, knowledge and experience owned by Licensor under the terms and conditions hereinafter stated, and Licensor is willing to comply with such desires of Licensee:

NOW, THEREFORE, in consideration of the premises and the mutual covenants and agreements herein contained, the parties hereto agree as follows:

〈参考訳〉

前文

　ライセンサーは, [製品名] の設計, 製造及び販売に永年従事しており, これに関する相当量の技術情報, ノウハウ, 知識, 経験を有している。

　ライセンシーは, 本契約に規定されている条件に基づいて, ライセンサーの所有する情報, ノウハウ, 知識及び経験の提供を受けて, [製品名] を製造し, 使用し, 販売する権利を取得することを希望しており, ライセンサーは, ライセンシーのかかる希望に応ずる意思を有している。

　よって, 本契約に記載の前提及び相互の誓約と合意を約因として, 本契約の両当事者は以下のとおり合意した。

　Whereas条項は, 英米法のconsideration (約因) を説明する条項として設けられている。契約書本文ではないが, 解釈に利用されることがあるため, 不適切な内容 (合意していない事項や独占禁止法に違反するような内容) を記載することは避けるべきである。なお, Whereasという用語自体は訳さないことが多い。さらに, ライセンサーがライセンスすることができる有効な権利をもっていることを述べ, 事実と異なった場合, 損害賠償責任が問われるケースもありうる。前文を前提条項と呼ぶことがある。

　NOW, THEREFOREから始まる条項は, 合意条項と呼ぶこともあるが, 契約成立のために必要なconsideration (約因) が存在する旨の記述である。

3　定義条項

Article 1　Definitions

For the purpose of this Agreement, the following terms shall have the meaning hereinbelow assigned to them respectively:
(1) "Technical Information" means drawings, designs, specifications, charts, test reports and all other materials used by or in the possession of Licensor on the date of this Agreement and applicable to the design, manufacture and test of [name of product].
(2) "Products" mean [name of product] which incorporate the Technical Information, or are covered by any of the information constituting part of the Technical Information.
(3) "Territory" means [names of countries or territories].
(4) "Net Selling Price" means the gross selling price of the Products as invoiced by Licensee, less the following items:
　(a)　sales, use or value added taxes;
　(b)　custom duties;
　(c)　packaging and transportation charges; and
　(d)　customary trade and quantity discounts.
　　In the event the Products are used by Licensee or sold to the affiliated companies of Licensee, "Net Selling Price" for said use or sale shall be the same Net Selling Price at that Licensee customarily sells comparable Products to a third party customer.

〈参考訳〉

第1条　定義
　本契約のため，次の用語は，それぞれ以下に付された意味を有する。
(1)「技術情報」とは，本契約の発効日にライセンサーが使用又は所有し，[製品名]の設計，製造及び試験に使用する図面，設計図，仕様書，図表，テストレポート及びその他のすべての資料をいう。
(2)「製品」とは，「技術情報」を構成する情報のいずれかを組み込んだ，もしくはそれらに基づく，あるいはすべてであるか一部であるかを問わず，それらを使用して製造される(製品名)をいう。
(3)「地域」とは，[国名又は地域名]をいう。

> (4)「正味販売価格」とは，ライセンシーが請求する製品の総販売価格から，次のものを差し引いた価格をいう。
> (a) 販売税，利用税又は消費税
> (b) 関税
> (c) 梱包費及び運送費
> (d) 業界慣習の取引割引及び数量値引
> 　製品が，ライセンシーにより使用されるかあるいはライセンシーの関連会社に販売される場合，かかる使用又は販売された製品の正味販売価格は，ライセンシーが，同等の製品を第三者顧客に販売する場合の正味販売価格と同額とする。

　ライセンシーは，製品販売額にライセンス料率を乗じた額をライセンスフィーとしてライセンサーに支払う。その販売価格は，製品の自社販売価格から税金や値引きといった修正項目を差し引いた正味販売価格と定義している。さらに，サンプルなど自社使用や関連会社への販売分については第三者向け正味販売価格としている。これは，無償提供したり，安く販売するからである。

◎ 他の表現［Licensor有利］／ライセンシーに対する契約地域外へ販売する者への販売禁止義務規定
　　　　　　　　　　　　　　　　　　　　　モデル契約書3-2-3

> The license hereby granted extends only to [Country]. Licensee agrees that it will not make, or authorize any use of the Products in any other area and it will not knowingly sell the Products to persons who intend or are likely to resell in any other area.

　ライセンシーに対し，域外輸出する可能性のある者（意図がある場合ならびに可能性が高い場合）に対して販売することを禁止する条項。

◎ 他の表現［Licensor有利］／正味販売価格を最大限にする規定
　　　　　　　　　　　　　　　　　　　　　モデル契約書3-2-4

> "Net Selling Price" means the gross selling price of the Products (including consumption tax) as invoiced by Licensee before discount and rebate.

　ライセンサーは，値引きやリベート前の価格をベースとして正味販売価格

を設定することによって、バーゲンなど特売による価格低下によるライセンス料低下の影響を受けないとする条項。

◎ 他の表現[neutral]／独立当事者価格の規定　☞モデル契約書3-2-5

> In the event the Products are used by Licensee or sold to the affiliated companies of Licensee, "Net Selling Price" for said use or sale shall be the one for arm's length.

ライセンシー使用あるいは関連当事者に対する販売において、正味販売価格を独立当事者価格(arm's length price)とする表現。

◎ 他の表現[Licensor有利]／定額ライセンス料の規定　☞モデル契約書3-2-6

> The license fee shall be Y100 for each of Products sold by Licensor.

ライセンサーがライセンシーの販売価格を指定することは独占禁止法における再販売価格の維持禁止に違反する。ライセンス料を一定比率とした場合、販売価格が下がればライセンス料が低下するため、販売価格による変動をなくすために、ライセンス料を定額とする条項。

◎ 他の表現[neutral]／サブライセンスが認められる場合の正味販売価格規定
　☞モデル契約書3-2-7

> Net Selling Price, in case of a Sublicense entered pursuant to Article X, means the gross invoice charged by Sublicensee on sales to its customers of the Products (less discounts and credits, returns, freight, package, insurance and consumption taxes).

サブライセンスの場合、サブライセンシーの販売価格によってライセンス料が決定される。なお、製品の正味販売価格の修正項目として預け金、保険料などを追加した表現である。creditとは、不良品などが発生した場合、売主は買主に売買代金返還処理をしないで将来の購入に充当できるように売主が買主からの売買代金を前受処理することである。

◎ 他の表現［Licensor有利］／ライセンス料算定のため販売時期を買主がライセンシーに発注した時とする規定　　　　　　　　　　　モデル契約書3-2-8

> A purchase shall be deemed to have been made if and when buyer of the Products makes the order to Licensee.

◎ 他の表現［Licensee有利］／ライセンス料算定のため販売時期をライセンシーの買主からの入金時とする規定　　　　　　　　　　モデル契約書3-2-9

> A purchase shall be deemed to have been made if and when Licensee received the purchase price of the Products from the Buyer.

ライセンス料を確定させるため，いつの時点でライセンス料算定のための「販売した」ことになるかを規定する条項。入金時であることに注意する。

4　ライセンス権利付与条項

Article 2　Grant of Right

2-1　Licensor hereby grants to Licensee the exclusive license, without the right to sublicense, to manufacture and sell the Products in the Territory.

2-2　Notwithstanding the exclusive nature for the sale in the Territory, Licensee agrees not to use any exclusive right herein granted to exclude or attempt to exclude from sale within the Territory of any Products manufactured by Licensor.

〈参考訳〉

第2条　権利の許諾

2-1　ライセンサーは，ライセンシーに対して地域で製品を製造し，販売するためのサブライセンス権なしの独占的実施権を許諾する。

2-2　地域における販売の独占性にかかわらず，ライセンシーは，本契約で許諾される独占的権利を行使して，ライセンサーが製造した製品を地域内で販売することを排除せず，あるいは排除するよう企てないことに同意する。

ライセンスは独占的か非独占か，ライセンサー製造の製品（メーカー正規製品）が地域内で販売されることについて妨害しないことを取り決めておく。

◎ 他の表現［Licensee有利］／並行輸入禁止規定　　☞モデル契約書3-2-10

> Licensor shall not export or knowingly sell or take orders for the sale of the Products for the purpose of export to the Territory.

ライセンサーが製品を地域への輸出あるいは地域内向であることを知って販売しない規定。独占禁止法の規制についても注意が必要。

◎ 他の表現［Licensor有利］／競業避止義務規定　　☞モデル契約書3-2-11

> Licensee agrees that it shall not manufacture and/ or deal any products which are competitive to the Products.

競業避止義務条項として類似品を扱えない規定。何が類似品であるか，またこの制限条項が競争制限的な扱いにならないかを検討して詳しく規定しなければならない。

◎ 他の表現［neutral］／非独占，サブライセンス権承諾規定

☞モデル契約書3-2-12

> Licensor hereby grants to Licensee non-exclusive license, during the term of this Agreement, subject to all of the terms and conditions contained in this Agreement to manufacture, distribute, and sell Products in the Territory and sublicense to any manufacturer, agent or distributor in the Territory whom Licensee considers fit and appropriate, provided that :(i) any and all obligations of Licensee under this Agreement shall be also performed by sub-licensee, and (ii) Licensee shall guarantee to Licensor for performance by sub-licensee pursuant to (i) above.

サブライセンシーはライセンシーを自由に指名できるものの，サブライセンシーは契約に基づくライセンシーの義務を履行し，ライセンシーがその履行

を保証する前提である。

◎ 他の表現 [neutral] ／サブライセンスの明記と明示的承諾規定

☞モデル契約書3-2-13

> It is expressly agreed by both parties hereto that Licensee has appointed ABC Japan, CO., Ltd., a corporation organized and existing under the laws of [name of country] and having its principal office at [address] as a sub-licensee.

サブライセンス権が認められないと，ライセンシーは自社で製造をしなければならないが，契約時にサブライセンシーが確定している場合の規定。

5　ライセンサーの提供する技術情報

> Article 3　Technical Information and Services
>
> 3-1　Licensor shall, within ninety (90) days after the Effective Date of this Agreement, furnish to Licensee the Technical Information in documentary form. All drawings and documents to be supplied by Licensor will be in the English language, and the measurement and specifications employed therein will be in accordance with the metric system.
>
> 3-2　Upon written request of Licensee, Licensor agrees to accept a reasonable number of Licensee's personnel at Licensor's facilities in [name of country] for the purpose of training and instructing such personnel in the design, manufacture and test of the Products, provided, however, that such training does not exceed sixty (60) man-days for the first one-year period commencing on the Effective Date of this Agreement and thirty (30) man-days for the subsequent each one-year period. The traveling expenses to and from Licensor's facilities, living expenses during their stay in [name of country] and all other expenses incurred in this connection shall be borne by Licensee.
>
> 3-3　Upon written request of Licensee and, if Licensor considers it necessary, Licensor agrees to dispatch one or more of its competent engineer (s) to Licensee for the term not more than thirty (30) man-days per any

one-year period commencing on the Effective Date of this Agreement or on anniversary thereof, to furnish necessary technical advice and guidance in the design, manufacture and test of the Products at Licensee's facilities in [name of country]. Licensee agrees to bear the traveling expenses of Licensor's engineers to and from the facilities of Licensee and living expenses during their stay in [name of country], and also agrees to pay to Licensor the absence fee of [amount] per day per engineer.

〈参考訳〉

第3条　技術情報とサービス

3-1 ライセンサーは，本契約の発効日後90日以内に，文書の形で技術情報をライセンシーに提供する。ライセンサーにより提供されるすべての図面及び文書は英語とし，使用される寸法と仕様は，メートル法による。

3-2 ライセンシーの書面による要求があれば，ライセンサーは，製品の設計，製造及び試験についてライセンシーの人員を訓練し，指導するため，[国名]にあるライセンサーの施設に妥当数のライセンシーの人員を受け入れることに同意する。ただし，かかる訓練は，本契約の発効日に始まる最初の1年間では60人日を，またその後の各1年間では30人日を超えないものとする。ライセンサーの施設への往復の旅費，[国名]に滞在する間の生活費及びこれに関して生じるその他すべての費用は，ライセンシーの負担とする。

3-3 ライセンシーの書面による要求があり，かつライセンサーが必要とみなす場合，ライセンサーは，[国名]にあるライセンシーの施設で製品の設計，製造及び試験において必要な技術上の助言と指導を行うため，本契約の発効日あるいはその応当日に始まる1年間あたり30人日を超えない期間，1名又はそれ以上の自己の適格な技術者をライセンシーに派遣することに同意する。ライセンシーは，ライセンサーの技術者のライセンシーの施設への往復旅費，及びかかる技術者が[国名]に滞在する間の生活費を負担し，さらに技術者1名・1日あたり[金額]のアブセンスフィーをライセンサーに支払うことに同意する。

　製造許諾ライセンス契約においては，技術指導が必要となる。日本に技術者が海外から派遣される場合，滞在する飛行機のクラス，滞在中の食事やホテルのランクなどきちんと取決めをしておかないと，ビジネスクラスや最高級ホテルなどの滞在費用を負担することになりかねない。

6　材料と部品の供給

> Article 4　Supply of Materials and Parts
>
> In the event Licensee desires to purchase any materials or component parts required for the manufacture, assembly, repair or maintenance of the Products, Licensor agrees to supply Licensee at prices and on delivery terms to be agreed upon at that time with such materials or component parts to the extent such may be available, or agrees to assist Licensee in procuring such materials or component parts.
>
> 〈参考訳〉
>
> 第4条　材料と部品の供給
>
> 　ライセンシーが，製品の製造，組立，修理又は補修のために必要な材料又は部品を購入することを希望した場合，ライセンサーは，かかる材料又は部品を入手可能な限り，その時々に合意する価格及び引渡条件でライセンシーに供給するか，あるいは，かかる材料又は部品の調達について，ライセンシーを支援することに同意する。

　ライセンス製品を製造するための原料をどこから調達するかということは，ライセンサーにとってライセンサーの商標が付される製品の品質を確保するにあたり，重要であり，ライセンサーがライセンシーへの部品供給への協力体制を構築しておく。

7　支払条件

> Article 5　Payment, Report and Inspection
>
> 5-1 In consideration of the license granted under this Agreement, Licensee agrees to pay to Licensor:
> 　(1) An initial sum of [amount] within thirty (30) days after the effective date of this Agreement, and
> 　(2) A royalty at the rate of [　　] percent ([　　]%) of the Net Selling Price of all Products sold or used by Licensee during the term of this Agreement.

第 2 章　国際製造販売ライセンス契約のバリエーション条項

5-2　In the event that for the year 2020 or any subsequent year, the amount of royalties payable to Licensor pursuant to above paragraph 5-1 (2) shall be less than [minimum royalty amount], Licensor shall be permitted to convert the license according to Article 2 of this Agreement into a non-exclusive license. Licensee may maintain the exclusiveness of the license by paying to Licensor the difference between the actual amount of royalties payable and the amount of [minimum royalty amount] referred to in this paragraph.

5-3　Licensee shall submit to Licensor annually written reports in the English language, duly certified by an authorized representative of Licensee, within sixty (60) days after the end of December of each calendar year during the term of this Agreement and within sixty (60) days after the date of expiration or termination thereof, showing the Products manufactured, sold and used by Licensee during the preceding one (1) year period or applicable portion thereof. In such report, Licensee shall state the types and quantities of the Products manufactured, sold and used, and the royalties due thereon.

5-4　Within ninety (90) days after the end of December of each calendar year during the term of this Agreement and within ninety (90) days after the date of expiration or termination thereof, Licensee shall pay to Licensor the royalties due during the preceding one (1) year period or applicable portion thereof in accordance with the royalty report as set forth in this Article.

5-5　All payments due under this Agreement shall be made by telegraphic transfer in [name of currency] calculated on the basis of the foreign exchange rate adopted by an authorized foreign exchange bank in [name of country] on the day each payment is made and shall be remitted to Licensor's account Licensor may designate from time to time in writing. All bank charges and other expenses incurred by each party in its country in connection with the remittance of the amount due hereunder and the receipt thereof shall be borne by each such party.

5-6　The withholding tax imposed upon Licensor by the Government of [name of country] with respect to the amounts payable under this Agreement shall be for the account of Licensor and shall be deducted from said due amounts by Licensee on behalf of Licensor at the time of their remittance. Licensee shall send to Licensor a certificate showing the payment of the tax issued by the relevant authorities of the Government of [name of country] with English translation.

5-7 Licensee shall keep true and accurate records, files and books of account containing all the data required for the full computation and verification of the amounts to be paid to Licensor for three (3) years. Licensee shall permit Licensor or its designee to inspect the same for the sole purpose of determining accuracy of the amounts payable by Licensee. Such inspection shall take place at the office of Licensee during normal business hours at Licensor's expense. If an inspection shall reveal an error in excess of five percent (5%) of the amounts accounted for and paid to Licensor, Licensee shall pay all reasonable costs of such inspection in addition to the amounts unpaid.

5-8 If, upon expiration or termination of this Agreement, there are any Products manufactured but not yet sold or used, such Products shall be deemed as sold or used on the day of such expiration or termination, and the royalties thereon as set forth in paragraph 5-1 hereof shall be paid by Licensee to Licensor by telegraphic transfer for all of such Products within ninety (90) days after such expiration or termination hereof. Licensee agrees to submit written reports to Licensor in the like form and manner set forth in paragraph 5-3 hereof within sixty (60) days after such expiration or termination hereof.

〈参考訳〉

第5条　支払, 報告, 検査

5-1 本契約に基づき許諾される実施権の対価として, ライセンシーは, ライセンサーに以下の支払を行うことに同意する。
　(1) 本契約の発効日後30日以内に[金額]の一時金
　(2) 本契約の期間中にライセンシーが販売又は使用するすべての製品の正味販売価格の[　]％の率のロイヤルティ

5-2 2020年又はその後の各年に, 上記の5-1(2)条に従ってライセンサーに支払うべきロイヤルティの金額が, [最低金額]より少ない場合, ライセンサーは, 本契約第2条に基づく独占的実施権を非独占的実施権に変更することができる。ライセンシーは, 実際に支払われるべきロイヤルティの金額と本条に定める[最低金額]との差額をライセンサーに支払うことにより, 実施権の独占性を維持することができる。

5-3 ライセンシーは, 1年に一度, 本契約期間中の各暦年の12月末日から60日以内に, 及び本契約期間の満了もしくは終了の日より60日以内に, 前1年間又はその該当期間中にライセンシーが製造, 販売, 使用した製品について記し

た，英語による報告書を，ライセンシーの権限のある代表者の認証を付してライセンサーに提出する。かかる報告書において，ライセンシーは，製造，販売，使用した製品のタイプと数量及び支払うべきロイヤルティを記載する。

5-4 ライセンシーは，本契約期間中の各暦年の12月末日から90日以内及び本契約期間の満了もしくは終了の日より90日以内に，本条に定めるロイヤルティ報告書に従い，前1年間又はその該当期間分のロイヤルティをライセンサーに支払う。

5-5 本契約に基づくすべての支払いは，各々の支払いが行われる日に[国名]の外国為替公認銀行が採用する外国為替レートに基づき計算された[通貨]で行われ，ライセンサーが書面にてその都度指定するライセンサー名義の口座に，電信送金される。本契約に基づき支払われる金額の送金ならびにその受領に関連して，各当事者が自国で被る銀行手数料やその他の費用はすべて，かかる各当事者により負担される。

5-6 本契約に基づき支払われる金額に関して，[国名]政府によりライセンサーに課せられる源泉所得税は，ライセンサーの負担とし，送金時にライセンシーによって，ライセンサーに代わり，かかる支払金額から差し引かれるものとする。ライセンシーは，[国名]政府の関連機関より発行される税金の支払いを示す証明書を，英語の翻訳を付けて，ライセンサーに送付する。

5-7 ライセンシーは，ライセンサーに支払うべき金額の充分な計算と立証のために要求されるすべての真実にして正確な記録，ファイル及び会計帳簿を3年間保持する。ライセンシーは，ライセンサー又はその指名者が，ライセンシーより支払われる金額が正確かどうか決定するため，かかる記録，ファイル及び帳簿を監査することを許可する。かかる監査は，ライセンサーの費用で，通常の業務時間中にライセンシーの事務所で行われる。もし上述の監査で，ライセンサーに報告され，支払われた金額の5％を超える誤差が発見された場合，ライセンシーは，未払金額に加えてかかる監査に要したすべての妥当な費用を支払う。

5-8 本契約の満了又は終了の時点で製造されてはいるが，まだ販売もしくは使用されていない製品が存在する場合，かかる製品は，当該満了日又は終了日を以て販売もしくは使用されたものとみなされ，ライセンシーは，かかる製品のすべてについて本契約第5-1条に規定されるロイヤルティを，当該満了又は終了より90日以内に，電信送金にてライセンサーに支払う。ライセンシーは，当該満了又は終了より60日以内に，本契約第5-3条に記載の形式及び方法にて，報告書をライセンサーに提出することにも同意する。

ライセンシーが支払うべきライセンスフィーの規定である。ロイヤルティは、契約締結時に支払う「イニシャルロイヤルティ」、売上高に応じる「ランニングロイヤルティ」、最低額保証の「ミニマムロイヤルティ」がある。

ライセンス契約について、技術ライセンス契約の届出が必要な国がある。このような国では、ロイヤルティの送金が行えないことがある。また、中国では、ロイヤルティは契約自由の原則から何％に設定しても自由であるが、5％が目安になっているようであり（「技術導入契約の締結及び審査認可の指導原則」）、過度に高いロイヤルティは認められない可能性がある。

源泉徴収（withholding tax）について契約に規定すべき場合がある。源泉徴収とは、ライセンシーがロイヤルティを海外のライセンサーに支払う際に、ライセンサーに代わって日本の税務署に納税するものである。なお、税率は2.1％の税率による復興特別所得税を加えて20.42％であるが、租税条約がある場合は軽減され、おおむね10％である。米国との間では0％であるが、国税庁所定の書類を税務署に届け出なければならない。その場合、租税条約に関する届出書、特典条項に関する付票、居住者証明書、契約書コピーが必要となる。無償のサンプル提供（販売店におけるデモ機や公道で配布する菓子の試供品など）について販売した場合と同額のライセンス料を支払うべきかを取り決める。一時金について、支払側の税法上の有利、不利を検討すべきである（繰延資産か費用かなどを取り決める）。

◎ 他の表現 [Licensor有利] ／ミニマムライセンスを達成できない場合、ミニマムを支払わせた上に契約解除できるとする規定　　　モデル契約書3-2-14

> In the event that for 2020 or any subsequent year, the amount of royalties payable to Licensor pursuant to above paragraph 5-1(2) shall be less than [minimum royalty amount], Licensor shall be entitled to terminate this Agreement. In such case, Licensor is entitled to demand to Licensee the payment of the difference between the actual amount of royalties payable and the amount of [minimum royalty amount] referred to in this paragraph.

契約解除の場合の処置が、「唯一の救済手段である（as a sole and exclusive remedy）」と規定することによって、他の賠償を行う必要がないことを確認す

ることができる。

8 秘密遵守条項

> Article 6　Observance of Secrecy
>
> Licensee shall strictly in confidence any and all information disclosed to it by Licensor under this Agreement and shall use the same exclusively in its own manufacture of the Products.
>
> 〈参考訳〉
>
> 第6条　秘密遵守
> 　ライセンシーは，本契約に従いライセンサーがライセンシーに開示するいかなる形式の情報もすべて，秘密に取り扱い，秘密に保持し，またかかる情報を専らライセンシー自身の製品の製造にのみ使用する。

　本条においては下請業者（subcontractor）に情報開示できないことになっているが，下記は下請業者を起用する場合の規定（及び訳）。

◎ 他の表現［natural］／起用した下請業者に必要な範囲で情報提供ができるとする追加規定　　　　　　　　　　　　　　　☞ モデル契約書3-2-15

> Provided, however, that Licensee may disclose such information to its subcontractor to the extent necessary for such subcontractor to manufacture parts of the Products, on condition that Licensee shall have such subcontractor agreed, in writing, to hold such information strictly in confidence and never use the same for other purposes.
>
> 〈参考訳〉
>
> 　ただし，ライセンシーは，本契約に基づいてライセンサーから受領した情報を，製品の部品を製造するために下請業者が必要とする範囲において，かかる下請業者に提供することができるが，この場合，ライセンシーは，かかる情報を秘密に保持し他の目的に使用しないことについて，書面でかかる下請業者に同意させることを条件とする。

9　改良及び開発

Article 7　Improvements and Developments

7-1 Licensor agrees that it will notify Licensee of any improvements, developments and inventions, to the extent that Licensor has the right to notify of the same, relating to the Products, whether patentable or not, which it may discover or acquire during the term of this Agreement, and that Licensee may use non-exclusively such improvements, developments and inventions in the design, manufacture, use and sale of the Products, free of any further royalties, charges or payments whatsoever, subject to the terms of this Agreement.

7-2 Licensee agrees that any improvements and developments relating to the Products, whether patentable or not, acquired or otherwise obtained by it during the term of this Agreement shall be disclosed promptly to Licensor, to the extent that Licensee has the right to disclose the same, and that Licensor may use non-exclusively or grant non-exclusive sub-license to other licensee(s) of Licensor to use such improvements and developments free of any payments whatsoever.

〈参考訳〉

第7条　改良と開発

7-1 ライセンサーは、特許が成立あるいは成立しないにかかわらず、本契約期間中に自己が発見又は取得する製品に関する改良、開発及び発明を、ライセンサーがそれらを通知する権利を有する範囲において、ライセンシーに通知することに同意し、またライセンシーが本契約の条件に従って、追加のロイヤルティ、費用もしくは料金を支払うことなく、製品の設計、製造、使用及び販売において、かかる改良、開発ならびに発明を非独占的に使用しうることに同意する。

7-2 ライセンシーは、特許が成立あるいは成立しないにかかわらず、本契約期間中に自己が取得もしくはその他入手した製品に関する改良及び開発のすべてを、ライセンシーがそれらを開示する権利を有する範囲において、ライセンサーに速やかに開示することに同意し、またライセンサーが何らの支払いもなく、かかる改良及び開発を非独占的に使用し、あるいはかかる改良及び開発を使用するための非独占的再実施権をライセンサーの他の実施権者に許諾しうることに同意する。

改良技術について，ライセンサーがライセンシーに開示すべきか，ライセンシーが得た知識をライセンサーに報告する義務について明確にする。改良技術の譲渡義務・独占的ライセンス義務については，日本においては公正取引委員会による「知的財産の利用に関する独占禁止法上の指針」を参考にして契約書を作成する必要がある。

10　保証条項

Article 8　Warranties and Indemnities

8-1　Licensor makes no representation or warranty that the manufacture, use or sale of the Products under this Agreement will not infringe any patent or other intellectual property rights of any third party, other than to state that to the best of its knowledge and information it knows of no such patent and other intellectual property right which would be so infringed in the Territory.

　　In the event that any infringement action, proceeding or claim of any kind or nature is instituted against Licensee because of Licensee's operations under this Agreement, Licensor agrees, at the request of Licensee and without assuming any financial or legal obligation, to assist Licensee in the defense of such action, proceeding or claim to the best of its ability.

8-2　Licensor hereby warrants that the Technical Information furnished by Licensor to Licensee under this Agreement will be in accordance with the standard employed in its own business, but Licensor shall not be liable to Licensee for any damages arising out of or resulting from anything furnished or made available to Licensee hereunder or the use thereof. Licensee shall fully indemnify Licensor from any claim asserted by a third party or parties in connection with the operations of Licensee hereunder.

〈参考訳〉

第8条　保証と補償

8-1　ライセンサーは，本契約に基づく製品の製造，使用もしくは販売が第三者の特許あるいはその他の知的財産権を侵害しないとの表明又は保証を一切行わず，ただ自己の情報と知識の限りにおいては，このような侵害される特許及びその他の知的財産権は地域にはないと述べるのみである。本契約に

基づくライセンシーの活動を理由にして，何らかの類又は性質の侵害訴訟，訴訟手続又はクレームがライセンシーに提起された場合，ライセンサーは，ライセンシーの要求があれば，金銭的又は法的義務を負うことなく，自己のなしうる限りで，かかる訴訟，訴訟手続又はクレームの防御についてライセンシーを支援することに同意する。

8-2 ライセンサーは，本契約に基づきライセンシーに提供する技術情報が，ライセンサーの事業活動において使用されている基準に従っているものであることを保証するが，ライセンサーは，本契約に基づきライセンシーに対し提供もしくは利用可能としたもの，あるいはそれらの使用に起因して又は結果として生じる一切の損害についてライセンシーに責を負わない。ライセンシーは，ライセンサーに対して本契約に基づくライセンシーの事業活動に関連して第三者が申し立てるいかなるクレームについて免責する。

　ライセンシーは，契約地域内でライセンス製品を製造するにあたって，第三者から知的財産権侵害を理由にして権利侵害を主張されないように，ライセンサーに保証を求めるであろう。一方で，ライセンサーとしては，他国における権利を調査することについて限界がある。本条では，「ライセンサーの知る限りにおいて」というライセンサーのやや消極的な保証にとどまっている。

◎ 他の表現［Licensor有利］／ライセンシーが地域内の知的財産権を侵害しないことを保証する規定

☞モデル契約書3-2-16

Licensee represents and warrants that the manufacture, use or sale of the Products under this Agreement will not infringe any patent or other intellectual property rights of any third party in the Territory.

11　契約期間

Article 9　Term and Termination

9-1 This Agreement shall become effective on the Effective Date and shall continue to be effective for ten (10) years from the Effective Date unless earlier terminated as provided elsewhere in this Agreement. This Agreement shall automatically renewed for five (5) years period thereafter, unless either party gives to the other party a notice of termination in writing at least sixty (60) days prior to the expiration of the original term of this Agreement or any renewal period hereof.

9-2 Either party may terminate this Agreement at any time upon notice given to the other party, in writing:
  (a) if such other party commits a material breach of this Agreement which is not effectively remedied by such other party within sixty (60) days after written notice thereof by the other party,
  (b) if such other party is dissolved, liquidated, declared bankrupt or become insolvent or has commenced proceedings relating to bankruptcy or creditor composition or becomes a non-surviving party to a merger or amalgamation, or
  (c) if a material change of control has occurred in such other party.

9-3 The termination of this Agreement shall not relieve or discharge either party from the liability for the payment of any sums then due or the failure to perform any obligations to have been performed under the provisions of this Agreement.

9-4 In the event of termination hereof prior to the expiration of this Agreement by reasons for which Licensee is liable, then Licensee shall return to Licensor the Technical Information furnished hereunder forthwith, and shall not, for a period of five (5) years after the date of such termination, use or make available or cause the others to use or make available the Technical Information, advice and service acquired under this Agreement for any purposes whatsoever including, but not limited to, manufacture, use and sale of the Products.

〈参考訳〉

第9条　期間と終了

9-1 本契約は，発効日に発効し，本契約の規定により早期に終了しない限り，本契約の発効日から10年間有効に存続する。いずれかの当事者が，当初の契約満了日又はいずれの更新満了日60日前までに他方当事者に対して書面にて終了通知を与えない限り，さらに5年間自動的に更新される。

9-2 いずれの当事者も，以下のいずれかの場合，他方当事者に書面にて通知することにより，直ちに本契約を終了することができる。
  （a）相手方当事者が，本契約に記載の義務の重大な違反を行い，他方の当事

> 　　　者により書面にてその旨通知されてから60日以内にかかる違反を適正に是正しなかった場合
> (b) 他方当事者が，解散もしくは清算した場合，破産宣告された場合，支払不能になった場合，破産又は民事再生に関する手続を開始した場合，あるいは吸収もしくは合併される当事者となった場合
> (c) 他方当事者の支配権に重大な変更が生じた場合
> 9-3 本契約の終了は，終了の時点において支払うべき金額の支払義務あるいは本契約の規定に基づき履行すべきであった義務の不履行から，いずれの当事者も免除もしくは免責するものではない。
> 9-4 ライセンシーが責を負う理由で本契約がその満了前に終了した場合，ライセンシーは，本契約に基づき提供された技術情報を直ちにライセンサーに返却し，かかる終了の日から5年間，製品の製造，使用，販売を含め，それらに限定されないいかなる目的にも，本契約に基づき入手した技術情報，助言及びサービスを自らあるいは他者を使って使用あるいは利用可能にしてはならない。

　10年という契約期間は，比較的長い期間であるといえる。ライセンシーとしては長い期間を確保したいと考えるかもしれないが，義務もそれだけ長くなる。なお，期間満了の60日前までに終了通知をしない場合には5年間延長されると規定されているが，この5年延長は自動的に延長されることになっている。1度だけの自動延長の場合は，修正が必要である。契約違反をした場合に60日間の是正措置が与えられているが，これも長い是正措置期間といえる(30日が適切ともいえる)。

　なお，9-4は「ライセンシーが責を負う理由で」と「5年間のみ」という条件付きであり，どのような場合も適用させるためには，これらの条件を削除する。

◎ 他の表現 [neutral] ／ 1回限りの5年間契約自動延長規定

　　　　　　　　　　　　　　　　　　☞ モデル契約書3-2-17

> This Agreement shall automatically renewed for additional five (5) years period, unless either party gives to the other party a notice of termination in writing at least sixty (60) days prior to the expiration of the original term of this Agreement.

第2章　国際製造販売ライセンス契約のバリエーション条項

◎ 他の表現［neutral］／ライセンシーの帰責事由によらずして契約終了時に技術情報を返還する規定　　　　　　　☞モデル契約書3-2-18

> In the event of termination hereof prior to the expiration of this Agreement, Licensee shall return to Licensor the Technical Information furnished hereunder.

◎ 他の表現［Licensor有利］／秘密保持条項等が契約終了後も有効であるとする規定　　　　　　　☞モデル契約書3-2-19

> Article 6, 9-3, 9-4, 14 and 18 shall survive after the termination of this Agreement.

　ライセンサーとしては，本契約終了後もどのような義務を負担させるかを精査して契約書の条項を作成する。特に契約終了時の技術情報の管理は重要である。一方，製造禁止を求める場合，独占禁止法の規制を踏まえ，ライセンシーとしては，自己が製品を製造し続けるために認められる条件を詳細に規定することを要求したい。

12　不可抗力条項

> Article 10　Force Majeure
>
> Neither party shall be liable to the other party for failure or delay in performance of all or part of this Agreement, directly or indirectly, owing to act of God, government restrictions, war, warlike conditions, fire, riot, strike, flood, accident or any other causes of circumstances beyond either party's control, but nothing herein shall relieve either party from its obligation to pay amounts due hereunder. Provided, however, that if such failure or delay exceeds six (6) months, then either of the parties hereto may negotiate with the other party as to the termination or modification of this Agreement.

〈参考訳〉

第10条　不可抗力

> いずれの当事者も, 天変地異, 政府の規制, 戦争, 戦争状態, 火災, 暴動, ストライキ, 洪水, 偶発事故又は当事者の支配を越えたその他の状況を直接もしくは間接の理由とする, 本契約の全部又は一部の不履行あるいは履行遅延につき, 他方の当事者に責を負わないものとする, ただし本条の不可抗力の場合といえども, いずれの当事者も, 本契約に基づき支払うべき金額の支払義務から免除されない。かかる不履行もしくは履行遅延が6カ月を超える場合には, 本契約のいずれの当事者も, 本契約の終了又は修正について他方の当事者と交渉することができる。

　契約締結後, いずれの当事者も予期しないような事態が発生した場合に, 履行遅滞あるいは契約不履行について責任を問われないとする条項である。不可抗力条項は, もともと天災, 戦争やテロといった事項に限定されるものである。ところが, ストライキや, 契約相手方の供給先の事情といった本来不可抗力には含まれないような事項まで不可抗力とされていることがあるので, 何を不可抗力にするか注意して条項を確認すべきである。なお本条では不可抗力が6カ月経過すると協議することとなっているが, 契約解除できると規定することも多い。

13　輸出管理法遵守条項

> **Article 11　Observance of Export Control Law**
>
> Each party shall observe the laws, orders or regulations relating to the export control of the country of its own and of the other party hereto as well as certain resolutions of the Security Council of the United Nations regarding export controls.
>
> 〈参考訳〉
>
> 第11条　輸出管理法の遵守
> 　各当事者は, 自国及び他方当事者の国の輸出管理に関する法律, 命令又は規則, ならびに輸出管理に関する一定の国連安全保障理事会決議を遵守する。

輸出管理法の遵守を求める条項である。輸出管理は、対共産圏輸出統制委員会ココム（Coordinating Committee for Export Controls：COCOM）後の「通常兵器及び関連汎用品・技術の輸出管理に関するワッセナー・アレンジメント（The Wassenaar Arrangement on Export Controls for Conventional Arms and Dual-Use Goods and Technologies）」に基づいて、日本においては、外国為替及び外国貿易法（外為法）によって製品及び技術について輸出管理が行われる。同法においては、「リスト規制」と「キャッチオール規制」の二つの規制に分かれる。「リスト規制」とは軍事転用できる製品であり、輸出にあたっては経済産業大臣の許可を得なければならない。「キャッチオール規制」は各企業の自主管理に委ねられる。

14　譲渡条項

> **Article 12　Assignment**
>
> This Agreement shall inure to the benefit and be binding upon the parties hereto, their successors and assigns. Neither party shall assign or delegate this Agreement or any rights and obligations hereunder to any other party without the prior written consent of the other party.
>
> 〈参考訳〉
>
> **第12条　譲渡**
>
> 　本契約は、本契約当事者及びその承継者ならびに譲受人の利益のために効力を生じ、かつこれらを拘束する。いずれの当事者も他方の当事者の書面による事前の同意なく、本契約又は本契約に基づく権利と義務を、いかなる第三者へも譲渡もしくは移転してはならない。

米国において、契約譲渡は相手方の契約上の義務に負担が生じない場合に認められるのが原則のため、これが認められないことをあらかじめ合意しておく条項である。

15 通知条項

> Article 13　Notices
>
> All notices and reports required under this Agreement shall be in writing in English, and shall for all purposes be deemed to be fully given and received if dispatched by registered and postage prepaid airmail, cablegram or facsimile followed by a confirmation letter by a registered airmail, to the respective parties at the addresses hereinabove set forth, or at such other address or addresses as either party may later specify by written notice to the other.

〈参考訳〉

> 第13条　通知
>
> 　本契約に基づき要求されるすべての通知と報告は，英語による書面で行われ，すべての目的において，本書冒頭に記載の住所あるいはその後に一方の当事者が他方の当事者への書面通知で指定するその他の住所の各々の当事者に宛て，郵便料前払いの書留航空郵便，あるいは後日に書留航空郵便による確認を伴う電報あるいはファクシミリで発送されれば，十分に通知が行われ，かつ受領されたとみなされるものとする。

　通知条項において，本契約に基づく通知の方式を定める。ファックスや電報を不可としたり，電子メールを認めることもできる。

◎ 他の表現 [neutral] ／秘密保持条項等が契約終了後も有効であるとする規定

☞モデル契約書3-2-20

> The language to be used in the arbitral proceedings shall be English.

16　紛争解決条項

> **Article 14　Arbitration**
>
> Any disputes, controversies or differences which may arise out of or in relation to this Agreement shall be settled amicably between the parties. But in case it fails, they shall be finally settled by arbitration at the place of the defendant in accordance with the rules then obtaining of the International Chambers of Commerce and by the arbitrators to be appointed according to the said rules. The award in the said arbitration shall be final and binding upon the parties hereto.
>
> 〈参考訳〉
>
> 第14条　仲裁
>
> 　本契約もしくはその違反に関連して本契約の両当事者間に発生するすべての紛争，論争あるいは意見の相違は，当事者間で友好的に解決されるものとする。ただし，解決に失敗した場合，それらは被申立人の地にて，国際商業会議所のその時点で得られる規則に従い，当該規則に基づき指名された仲裁人によって，仲裁で最終的に解決されるものとする。かかる仲裁における仲裁判断は最終的なものであり，両当事者を拘束する。

　紛争解決条項としてICC（国際商業会議所）による仲裁を規定しているが，他の仲裁機関による解決も可能であるし，仲裁に代わって裁判による紛争解決を行うこともできる。仲裁人の人数を1名か3名か，言語を日本語にするか英語にするかなどを事前に決定しておくことができる。

17 完全合意条項

> Article 15　Entire Agreement
>
> This Agreement contains the entire agreement between the parties hereto with respect to any and all subject matters covered herein and supersedes and cancels all previous agreements, negotiations, commitments and writings relating thereto. Any modification or amendment to this Agreement shall be valid and effective only if reduced to writing and signed by a duly authorized representative of each of the parties hereto.
>
> 〈参考訳〉
>
> 第15条　完全合意
> 　本契約は，本契約の主題に関する両当事者間のすべての合意を記載し，かかる主題に関する従前の合意，交渉，言質及び文書の一切に取って代わり，かつそれらを取り消すものである。本契約の修正もしくは改訂は，文書の形にされ，正式な権限を有する各当事者の代表者により署名された場合にのみ，有効なものとする。

　完全合意条項によって，本契約に関する取決めは，本契約に示されている事項のみであることを示し，あとで紛争になった場合においても契約の締結に至った経緯や交渉過程などが証拠とならないことの確認を行う。なお，契約締結以降の証拠までは否定しないことに留意すべきである。この場合，修正契約として取り扱われる。

　なお，supersedeを「優先する」と訳しているものが多くみられるが，「取って代わる」が正しく，前の事項が残ることはない。

18　非放棄条項

> **Article 16　No Waiver**
>
> A waiver by either party hereto of any particular provision hereof will not be deemed to constitute a waiver in the future of the same or any other provision of this Agreement.
>
> 〈参考訳〉
>
> **第16条　非放棄**
>
> 　いずれかの当事者による本契約のいずれかの規定の放棄は，当該規定又はその他の規定の将来における放棄を構成するとはみなされない。

　この条項は，「権利放棄条項」とも呼ばれ，いずれかの当事者による権利不行使あるいは行使遅延がそれらの権利についての放棄とみなされないことを規定する。

19　分離条項

> **Article 17　Severability**
>
> Should any provision of this Agreement be declared or deemed to be illegal or invalid by any court or administrative body of competent jurisdiction, then such provision shall be given no effect and shall be deemed not to be included within the terms of this Agreement, but without invalidating any of the remaining terms of this Agreement. The parties hereto shall then make efforts to replace the illegal or invalid provision by an economically equivalent provision if advisable and legal.
>
> 〈参考訳〉
>
> **第17条　分離性**
>
> 　本契約のいずれかの規定が，管轄権を有する裁判所又は行政機関により違法もしくは無効と宣告あるいは判断された場合，当該規定は無効とし，本契約の

> 条件には含まれないとみなすものとするが, 本契約のその他の条件を無効とすることはない。本契約当事者は, かかる場合, 違法又は無効となった規定を, もし妥当かつ合法的ならば, 経済的に同等な規定に置き換えるよう努力する。

分離条項は, 万一契約上のある規定が無効とされた場合, その契約条項のみを切り離し, 契約そのものが無効にならず, どのように補うかを規定する。

20 準拠法と言語

Article 18　Governing Law and Language

18-1　The validity, construction and performance of this Agreement shall be governed by and interpreted in accordance with the laws of [name of country or state].

18-2　This Agreement shall be executed in duplicate original in the English language only which shall govern its interpretation and construction in all respects. No translation of this Agreement into any other language, if any, shall have any legal force or effect whatsoever.

〈参考訳〉

第18条　準拠法と言語

18-1　本契約の効力, 解釈ならびに履行は, [国名, 州名]の法律に準拠し, 解釈される。

18-2　本契約は, 英語で正本2通作成され, これがすべての面において本契約の解釈を支配するものとする。本契約の他の言語への翻訳版が存在したとしても, これらは, 法的な効力や効果を何ら有しない。

この条項は契約解釈をする際, どこの国の法律が適用されるかを規定し, 仮に翻訳版が作成されても英語版が正本であることを定めている。

◎ 他の表現［neutral］／国際物品売買契約に関する国際連合条約不適用条項

☞ モデル契約書3-2-20

> This License shall not be governed by the United Nations Convention on Contracts for the International Sale of Goods, the application of which is expressly excluded.

　国際物品売買契約に関する国際連合条約は適用されないものとし，その適用は明示的に排除されることの規定。ライセンス契約においても，売買を含んでいることがあり，準拠法を日本法にした場合，国際物品売買契約に関する国際連合条約を含むと解釈されるので，非適用条項を使用して削除することがよく行われる。

21　サイン欄

> **IN WITNESS WHEREOF,** the parties hereto have caused this Agreement to be executed in duplicate by their duly authorized representative.
>
> Licensor Corporation　　　　Licensee Corporation
> By :　　　　　　　　　　　　By :
> Name :　　　　　　　　　　　Name :
> Title :　　　　　　　　　　　Title :
>
> 〈参考訳〉
> 　本契約の証として，本契約当事者は，正式な権限を有する代表者をして本書2通に署名した。
>
> ライセンサー・コーポレーション　　ライセンシー・コーポレーション
> 氏名：　　　　　　　　　　　　　　氏名：
> 役職：　　　　　　　　　　　　　　役職：

　IN WITNESS WHEREOFとは，契約書の結語である。署名欄に署名する者は，本契約に署名する権限がなくてはならない。

コラム　特許権の消尽が問題になった事例　　　　森下 賢樹

　ドイツのBBS製の自動車ホイールの並行輸入をめぐって，特許権と商標権の侵害が争われた。BBSは自動車ホイールにドイツおよび日本で特許権をもっていた。その製品をドイツで購入した者が日本へ並行輸入して販売したため，BBSが訴えを提起したのである（以下，特許権は日本のそれとする）。

　BBS事件最高裁判決（最判平成9年7月1日民集51巻6号2299頁）は，まず国内消尽を肯定している。すなわち，特許権者が日本国内で特許製品を譲渡した場合，その特許製品についての特許権はその目的を達したものとして消尽し，同一物について再び特許権を主張することはできないとする。しかし，国際消尽，すなわち特許権者が日本国外で特許権に係る特許製品を譲渡した場合，その特許製品に対して，日本国において特許権を主張することができるかどうかについては，特許権は消尽しないと判断した。すなわち，最高裁は特許権の国際消尽を否定したのである。

　しかし最高裁はさらに，特許権者は，①譲受人に対しては，当該製品について販売先ないし使用地域から日本国を除外する旨を譲受人との間で合意した場合，②譲受人から特許製品を譲り受けた第三者等に対しては，譲受人との間での①の合意に加え，特許製品にこれを明確に表示した場合，を除き，その製品について日本国において特許権を行使することは許されないと判示したのである。国際消尽自体は否定しつつも，本件においては，BBSの主張は許されないというものであった。

第4部

ライセンス契約
モデル契約書集

第1章	技術援助ノウハウ契約
第2章	商品化契約
第3章	製薬業界におけるライセンス契約
第4章	ロイヤルティシェアリング契約
第5章	クロスライセンス契約
第6章	アフィリエイト契約
第7章	パッケージライセンス契約
第8章	サブライセンス契約
第9章	フランチャイズライセンス契約

第1章
技術援助ノウハウ契約

森下 賢樹 ● *Sakaki Morishita*

1　ビジネスモデル

　A社が別のB社へ技術やノウハウを移転する。A社はある技術分野における過去の知識や経験の蓄積がある一方、B社はそこが弱い。しかしB社には優秀な製造技術がある。役割分担によって協業のスタイルをとることにはメリットがある。

　技術移転は、両社が異なる国を活動の本拠とする場合も有効である。たとえば、日本の技術を中国に移転し、中国で製造販売を行う場合、両社は国際的な補完、協業関係に立っている。技術開発力があっても、他国には法律や文化の壁がある。流通経路の態様も違う。そうした場合、製造や販売を現地の会社に任せる方が得策の場合が多い。

2　リスク分析

　技術やノウハウの移転、技術支援について契約を結ぶ場合、移転元(transferor)は自社技術の漏洩リスクを考えなければならない。技術移転契約を結ぶ前に守秘契約(Confidentiality Agreement, Non-Disclosure Agreement)を結ぶ必要がある。さらに、実現の可能性を探究するためのフィジビリティスタディ(FS, 実行可能性調査)契約を結び、技術移転をした場合の得失を見極めるのは有効である。また、協力関係が破綻した場合、開示した技術が相手以外に出ず、相手もそれを勝手に利用しないよう規定を設けておく必要がある。

　一方、移転先(transferee)は、移転される技術が対価に見合うか慎重な判

断を要する。移転元はなるべく技術を開示せずに契約を結びたいため,契約までが一つの攻防である。もちろん契約後にもリスクはある。移転元から十分な技術サポートが受けられないと,実施ができなくなるか,できても余計な時間やコストがかかる。移転先が確実に協力してくれる規定を設けておくだけでなく,移転元と移転先がWin-Winの関係になる契約を作成することにより,移転元が自ら積極的に協力してくれる環境作りをしたい。

3　関連する法律・許認可など

3.1　民法・商法

　民法の総則や債権に関する規定,商法の商行為に関する規定などが基本である。したがって,いずれの国においても,日本でいう民法や商法に関連する規定が関係してくる。

3.2　知的財産法

　技術移転に伴い,特許,営業秘密などの扱いが必要となる。移転に知的財産権のどこまでが付随するのか,将来発生する知的財産権はどちらが所有するのか,明確にすべきである。

3.3　中国の契約法

　今回例示した一つ目の契約書(後記4.1参照)では,契約を中国法に準拠するものとしている。中国で考慮すべきは「契約法」である。中国の法律は成文法であるため,契約書が非常に重要である。日本では判例が重視されるが,中国では裁判において参考とされる程度である。

3.4　製品に関する法律

　技術移転の対象となる製品の仕様,製造と販売に関する法律にも注意を払う。電気用品安全法,薬機法(「医薬品,医療機器等の品質,有効性及び安全性の確保等に関する法律」),PL法(「製造物責任法」),景品表示法(「不当景品

類及び不当表示防止法」）などがある。中国の場合，日本のPL法にあたるものとして，製品品質法がある。消費者は，生産者だけでなく販売者に対しても損害賠償請求を行うことができる。中国では消費者の権利意識が強いことに注意すべきである。

4　契約書チェックポイント

4.1　TECHNOLOGY TRANSFER AGREEMENT

☞モデル契約書4-1-1

　最初の例では，日本のABC社が移転元，中国のXYZ社が移転先である。契約書中，本契約自体を「Agreement」と表記している。このAgreementの前に，ABC社とXYZ社の間に合弁会社をつくるための契約（JV Contract）がある（それ自体はここには掲載しない）。移転の対象となる技術は，携帯電話用ICに関連する製品に関するものである。

- 前文

　契約当事者と契約の目的が示されている。本契約書（Agreement）の前に結ばれた合弁契約書（JV Contract）の目的を達成するために，本契約が結ばれることが分かる。

- 定義（第1条）

　用語については先の合弁契約に従う旨が確認されている。ただ，それ以外に新たに「ノウハウ」と「テクニカルデータ」が定義されている。テクニカルデータはノウハウに関するすべての情報をいう。

- 技術移転（第2条）

　ABC社からXYZ社に対し，携帯電話用ICを製造するためのノウハウが移転される。XYZ社は以降，このノウハウを自ら独占的に使用するだけでなく，第三者にサブライセンスを与えることもできる。技術移転に対する対価が定められている。

- 技術支援（第3条）

　移転にあたり，厄介なのは移転元と移転先の意識のずれである。移転元

は移転に関する自分の作業量を増やしたくはない。作業が多すぎれば移転の意味が薄れてしまう。一方，移転先からすれば，移転元の技術説明はどうしても不足しがちである。

　本例では，ABC社は携帯電話用IC関連製品を製造するために必要な技術指導をするとされている。第2項ではより具体的に，ABC社が提供するテクニカルデータがXYZ社の製造条件に適合しない場合，ABC社がテクニカルデータを改訂，改善することが約束されている。

　重要なことは，移転先は必ず自社の技術者（移転される技術を使う人）の意見を反映することである。技術によっては，操作マニュアルが大事なこともあれば，実験データが命ということもある。状況に即した条項を契約書に盛り込みたい。

　人的なサポートも考慮する。移転元の技術者のうち具体的に人を定め，その人を半年間は週1回派遣してもらうなど，「分からないことは聞ける体制」を作りたい。

● 移転元による表明と保証（第4条）

　一般条項の一種であるが，移転先に非常に強い独占性を保証するものである。

● 移転先による表明と保証（第5条）

　第4条のうち一般的な部分と対になる規定である。

● 準拠法（第6条）

　契約当事者が日本と中国の場合，紛争解決は仲裁をとる場合がほとんどである。日本と中国の間では，裁判所の判決を相互に承認して執行へ進むことができない。日本は外国判決の承認につき，相互の保証を要件としている（民事執行法24条で引用する民事訴訟法118条）。中国側が日本の判決を承認しないため，日本もしないという状態である。

　一方，仲裁については，両国とも「外国仲裁判断の承認及び執行に関する条約（ニューヨーク条約）」に加入している。中国の渉外紛争仲裁機関には，上海国際経済貿易仲裁委員会（Shanghai International Arbitration Center）及び華南国際経済貿易仲裁委員会（Shenzhen Court of International Arbitration）があり，これらがなした仲裁裁定が日本の裁判所で承認され

ていくと考えられる。またその逆に，日本の仲裁機関である一般社団法人日本商事仲裁協会（旧：社団法人国際商事仲裁協会）がなした仲裁裁定を中国の裁判所が承認した例もある。国際仲裁については両国間で相互執行が可能である。

　本例でも準拠法は中国法とし，紛争仲裁機関として上海国際経済貿易仲裁委員会を選んでいる。準拠法と紛争解決国を合わせることにより，仲裁人は無理なく自己の知識で判断ができるためである。もちろん，ABC社にとっては，本来は準拠法を日本法とし，日本商事仲裁協会の仲裁とすることが望ましい。しかし，中国における執行を考えると，中国で仲裁することも現実的である。

　ほかの方法として，第三国による仲裁も考えられる。シンガポールや香港である。いずれも仲裁場所として実績がある。しかし，準拠法をシンガポール法や香港法にするためには，最初からそれら現地の弁護士に依頼する必要があり，コスト面や手間という問題が生じうる。

TECHNOLOGY TRANSFER AGREEMENT

THIS TECHNOLOGY TRANSFER AGREEMENT ("Agreement") is entered into on December 23, 20xx by and between the following parties:

ABC Co., Ltd. (hereinafter referred to as "Transferor"), a company duly incorporated and existing under the laws of Japan.

XYZ, Inc. (hereinafter referred to as "Transferee"), a company duly incorporated and existing under the laws of the People's Republic of China.

WHEREAS, Transferee is a Joint-Venture, co-established by virtue of the Contract of XYZ, Inc. ("JV Contract"), which was entered into by and between Transferor and XYZ, Inc.

WHEREAS, for the purpose of Transferor's performance of its duty of contribution pursuant to the JV Contract, Transferor desires to transfer and assign to Transferee, and Transferee desires to obtain from Transferor, the know-how of proprietary technology on Mobile Phone IC Production, under the terms and conditions set forth herein.

NOW, THEREFORE, Transferor and Transferee (hereinafter individually referred to as a"Party"and collectively as the"Parties"), through mutual negotiations and based on the principle of equality and mutual benefit, hereby agree as follows:

1. **DEFINITION**

   Unless otherwise provided, the following terms and expressions shall have the same meanings as in the JV Contract:

   1.1 "Know-How"means the know-how on Mobile Phone IC Production, which is owned by Transferor, including knowledge, experience, and all skills required for producing Mobile Phone ICs, including Technical Data.

   1.2 "Technical Data"means all written information on the aforesaid Know-How, including, but not limited to research reports and all technical data and information on design, calculations, drawings, manufacturing processes, quality control, experiments, installation, measurements, testing, operation, and maintenance on and of the product.

2. TECHNOLOGY TRANSFER

2.1 Transferor agrees to transfer and assign to Transferee the property right in the Know-How. Transferee is entitled to use, or grant a license to any third party to use, the Know-How to exclusively manufacture and sell Mobile Phone ICs, and to have the right to file patent applications covering the Know-How.

2.2 Transferee agrees to pay Transferor RMB [   ] for the transfer of the Know-How.

3. TECHNICAL ASSISTANCE

3.1 Transferor agrees to provide Transferee with necessary technical instructions with respect to the Know-How to assist Transferee in using the Know-How to manufacture Mobile Phone ICs.

3.2 If the Technical Data provided by Transferor to Transferee does not fit with the manufacturing conditions of Transferee, Transferor is obliged to make modifications and/or improvements of the Technical Data.

3.3 On a gratuitous basis, Transferor shall provide Transferee with any modified and/or improved Technical Data with respect to the Know-How.

3.4 Transferee has the property rights on any technology that is derived from the modifications and/or the improvements made by Transferee of the Know-How.

4. REPRESENTATIONS AND WARRANTIES ON TRANSFEROR

4.1 Transferor is a company duly registered, validly existing, and in good standing under the laws of Japan and has full legal capacity, power, and authority to enter into and execute this Agreement.

4.2 Transferor has exclusive property rights in the Know-How, and Transferee, by using the Know-How, will not infringe any third party's rights and interest. There is no current litigation or dispute that is the result of or related to the Know-How.

4.3 Transferor has taken all actions and obtained all required consent and approval needed to authorize its entrance into and execution of this Agreement, and the signing, execution, and performance of this Agreement will not violate any provision of applicable law or any enforceable contract that is presently in effect.

4.4 This Agreement, when executed and delivered, constitutes the lawful, valid, and binding obligations of Transferor and is enforceable against Transferor in accordance with its terms.

4.5 Transferor has not granted, and will not grant to any third party, any license with respect to the Know-How herein.

4.6 Transferor shall not, when this Agreement comes into effect, use the Know-How herein or file patent applications covering the Know-How.

4.7 Transferor is under a duty of confidentiality with respect to the content of the Know-How herein.

5. REPRESENTATIONS AND WARRANTIES ON TRANSFEREE

5.1 Transferee is a company duly registered, validly existing, and in good standing under the laws of the People's Republic of China and has full legal capacity, power, and authority to enter into and execute this Agreement.

5.2 Transferee has taken all actions and obtained all required consent and approval needed to authorize its entrance into and execution of this Agreement, and the signing, execution, and performance of this Agreement will not violate any provision of applicable law or any enforceable contract that is presently in effect.

5.3 This Agreement, when executed and delivered, constitutes the lawful, valid, and binding obligations of Transferee and is enforceable against Transferee in accordance with its terms.

6. GOVERNING LAW

6.1 This Agreement is governed by the laws of the People's Republic of China.

6.2 In the event a dispute arises in connection with the performance of this Agreement, the Parties shall attempt to solve such dispute through friendly consultations. If no mutually acceptable settlement of such dispute is reached, such dispute shall be submitted to the Shanghai International Arbitration Center. Arbitration shall take place in Shanghai and shall be conducted in accordance with the Arbitration Rules of the Shanghai International Arbitration Center then in force at the time a particular dispute is submitted for arbitration. The arbitral award is final and binding upon the Parties.

6.3 For the purpose of Clause 6, "Dispute" means a dispute that arises in connection with the validity, effective date, interpretation, performance, default liability of and under this Agreement, and the modification, transfer, dissolution, and termination of this Agreement.

7. MISCELLANEOUS

7.1　This Agreement has been signed by authorized representatives of the Parties and shall enter into force upon signature of both Parties.

7.2　The Parties may amend this Agreement with respect to any unresolved matter. Any amendment and supplemental agreement to this Agreement shall be made in writing.

7.3　This Agreement is executed in two counterparts, and each party retains one of the counterparts, both of which have equal legal effect.

Transferor :　　　　　　　　　　Transferee :

ABC Co., Ltd.　　　　　　　　　XYZ, Inc.
By :　　　　　　　　　　　　　　By :

4.2　TECHNOLOGY LICENSE AGREEMENT

☞モデル契約書 4-1-2

　ABC社とXYZ社の間の技術移転契約書を示す。主な移転元はABC社であるが，一部，逆向きの移転もあり，XYZも移転元となる場合がある。移転対象の技術は，ビデオ会議システムに関するものである。

- ライセンス（第1条）

　対象技術，対象から除外される技術，ライセンスの性質と許諾される行為，一時金の額，ランニングロイヤルティ，XYZからABCへライセンスバックする技術の内容とライセンスの性質，及び，ソースコードについては別途定めることを規定している。

- 改良技術のライセンス（第2条）

　ライセンスされた技術を利用して，さらに技術が増強された場合，その増強部分も互いにライセンスし合うことを主旨とする規定。

- 技術支援（第3条）

製品の大量生産に至る技術の支援が規定されている。

- 独占性（第4条）

　いわゆるヘッドスタートである。ABCはこの契約が有効になったあと1年間はXYZ以外へ同様のライセンスをしない。もともとこのライセンスは非独占的なものであることが第1条で決められているため，XYZにとって本条は有意義である。

- チップの価格（第5条）

　ABCからXYZへのライセンスの対象にチップも含まれている（そのチップにビデオ会議に必要な技術が搭載されている）。そのため，チップの価格を定めている。

- 保証（第6条）

　移転される技術と第三者の知的財産との関係（特に侵害に関する認識と対処），移転される技術がうまく動かない場合の返金などが定められている。

- 雇入れ（第8条）

　両当事者間の人の移動（再就職）の禁止期間を定めている。

- 両当事者の独立性（第11条）
  本契約以外，両当事者は互いに何ら義務を負わないことを確認している。
- その他の項目
  秘密保持(第7条)，完全合意(第9条)，準拠法(第10条)，不可抗力(第12条)，権利の不放棄(第14条)，契約の可分性(第15条)など，一般的な規定である。

TECHNOLOGY LICENSE AGREEMENT

This Agreement is made between ABC, INC., a Delaware corporation, with principal offices at [   ], (herein called "ABC"); and XYZ CORP., a Delaware corporation, with principal offices at [   ], (herein called ("XYZ"), effective the 15th day of June, 2016 (the "Effective Date"). The parties include any affiliate of a party; an "affiliate" is defined as the parent company of a party and any company that is controlled directly or indirectly by that party or its parent company through more than fifty (50) percent ownership, provided such affiliate agrees to be bound by this agreement.

WHEREAS, ABC, a developer and a supplier of videoconferencing products, intends to license certain technology to XYZ according to these terms and conditions; and

WHEREAS, XYZ, a developer and a supplier of certain information transfer products and other products, intends to license certain technology from ABC according to these terms and conditions:

NOW THEREFORE, in consideration of the premises and of the mutual covenants and agreements contained hereinafter, ABC and XYZ agree as follows:

1. **LICENSES**

(a) Licensed Technology

　The license from ABC to XYZ covers:
　(i) The technology that ABC has relating to videoconferencing, including "video communicators" (herein called the "VC"), VCP chips, and current variations relevant to videoconferencing (herein called the "VCP");
　(ii) Any source/ object code that ABC has related to videoconferencing that will work in the VC;
　(iii) Any technology that ABC has developed for connection to the personal computer; and
　(iv) All tools applicable to the "Licensed Technology" that ABC provides to XYZ without violating copyright or license agreements.

　All technology described above is herein collectively called "Licensed Technology."

Excluded from the Licensed Technology are:
(i) The web browser technology developed by ABC with SuperWeb, Inc.;
(ii) The audio code ABC licensed from SuperAudio Associates; and
(iii) The modem technology licensed from SuperModem, GmbH.

The Licensed Technology is as it exists on the Effective Date in written and electronic documents, including schematics, software, source and object code for delivery to XYZ, and, except for the foregoing, does not include delivery of any physical products; provided, however, future modifications and enhancements to the Licensed Technology pursuant to this Agreement shall become part of the "Licensed Technology."

(b) Grant

ABC will immediately deliver to XYZ the Licensed Technology and hereby grants to XYZ a nonexclusive (except as set forth in Section 4 hereof), non-assignable (except as allowed under Section 13 hereof) world-wide license to use the Licensed Technology and to make, have made, use, market, and sell products containing or embodying such Licensed Technology, and enhancements as described below, including rights under any ABC patents or copyrights relevant thereto (including after-acquired rights).

XYZ is free to use and market the Licensed Technology as follows:
Sell systems (what ABC calls its "video communicators") for itself; (XYZ) or to Original Equipment Manufacturers under their brand names ("OEMs"), including selling systems without casing for incorporation into other manufacturers products; and
Sell direct computer products for itself (XYZ) or to OEMs, including selling systems for incorporation into other manufacturers products.

(c) Consideration

In consideration therefor, XYZ will pay ABC [   ] dollars immediately on execution of this Agreement.

(d) Royalty

On any system that XYZ sells that incorporates any Licensed Technology, XYZ agrees to pay ABC the following royalties:
［ロイヤルティの表, 省略］

If XYZ elects to manufacture the VCP, then for each such chip incorporated into a system and sold (or sold on the open market as permitted herein if the option is

exercised), XYZ agrees to pay ABC the following royalties:
［ロイヤルティの表，省略］

Such royalty will be paid within sixty (60) days of the end of each XYZ fiscal quarter. Royalties shall not be due, and if already paid shall be credited to XYZ, for systems and chips sold by XYZ but returned by the purchaser. ABC is entitled to audit the records of XYZ through ABC's auditor, provided that (a) such audit shall occur no more than once per year, and (b) such auditor (i) shall be acceptable to XYZ and (ii) shall have executed an appropriate nondisclosure agreement. If such an audit discloses a deficiency in the royalty paid of greater than five (5) percent, then XYZ will pay the reasonable cost of such audit plus interest on the deficiency from the time due until paid of twelve (12) percent simple interest per annum.

In a report each quarter, XYZ will give ABC a good faith estimate of the number of systems that were for direct computer products.

(e) Grant back from XYZ

XYZ will provide ABC technical and other confidential and proprietary information that XYZ determines is necessary or useful for ABC to improve the audio and modem functionality for the video communicator (hereinafter "XYZ Information"), and XYZ hereby grants to ABC a paid up, royalty-free, nonexclusive, non-assignable world-wide license to use the XYZ Information to make, have made, use, or sell products incorporating the XYZ Information; provided, however, (i) such products shall include ABC's technology only, and not direct computer products ; (ii) ABC shall use the XYZ information only for its own branded system products, and shall not sublicense or disclose the XYZ information to third parties for use in their products or for any other reason; and (iii) such improvements shall be included in the Licensed Technology and licensed to XYZ for incorporation into XYZ's products.

(f) Source Code

All source code licensed hereunder, whether from ABC to XYZ or from XYZ to ABC, shall, in addition to the terms and conditions of this Agreement, be subject to the terms of the Source Code License in the form of Exhibit A.
［添付書類，省略］

2. **LICENSING OF ENHANCEMENTS.**

Each party agrees to license to the other party any enhancements it makes to the Licensed Technology. (Such enhancements created by ABC shall then become Licensed Technology.) Such enhancements shall be delivered promptly upon their development, until XYZ discontinues the licensing of such enhancements by both parties by providing notice to ABC (but enhancements delivered by either party up to the date of such notice shall continue to be licensed). All such enhancements by XYZ are hereinafter called "XYZ Enhancements".

Such deliveries by ABC and XYZ, along with related development tools (to the extent delivery can be done without paying a fee to third parties or violating other agreements) will be in the same form and completeness as similar prior deliveries by ABC of Licensed Technology, and with engineering support as provided below.

Nothing herein entitles XYZ to receive enhancements developed by other licensees of ABC, and nothing herein entitles ABC to sublicense, distribute or otherwise disclose XYZ's enhancements to other licensees of ABC; provided further that ABC will limit production of chips with XYZ Enhancements to incorporation on finished systems produced (made or have made) and sold or leased by ABC, and in no event will ABC sell or otherwise make available on the open market such components in component form or on printed circuit boards for incorporation into the systems of others; and thus, the chip that ABC sells on the open market to its other chip customers will have deleted from it any XYZ Enhancements.

After 12/31/2016, either party may elect to terminate sharing of enhancements developed after date of such termination.

3. **ENGINEERING SUPPORT.**

ABC will provide engineering support to XYZ, for all Licensed Technology, including all such technology initially delivered to XYZ and all enhancements. Such engineering support shall be sufficient to enable XYZ quickly to implement the Licensed Technology and enhancements for demonstration purposes and to enable XYZ to achieve its objectives of volume shipments as soon as possible. XYZ shall provide comparable engineering support to ABC for the XYZ Enhancements. If the receiving party asks the delivering party at any time for engineers or others to travel to the receiving party's location to support the technology delivery, and the other party agrees to do so, receiving party will pay the reasonable costs associated therewith, including the traveling party's labor costs for such personnel as well as travel, meals, and lodging.

4. **EXCLUSIVITY.**

ABC agrees that for a period of one (1) year beginning on the Effective Date hereof, it will not grant to any third party any licenses to use the Licensed Technology, or any portion thereof, or to make, have made, use, market, or sell products with such Licensed Technology, or any portion thereof, provided ABC may still deliver to its customers object code with chips and reference designs for boards; ABC may deliver to its customers example source code needed by customers for integration of ABC's chips into customer products, including PC driver code and microprocessor controller code for controlling VCP applications (including changing display size, logo, trademark, menu, options, and features); ABC can honor currently outstanding licenses; and ABC can sell to OEMs its system level products (whether partial boards, complete boards, or partial or complete systems branded as the customer desires) for resale in that form or incorporated in other systems (like TV) as the customer desires. None of the delivery of source or object code to customers shall include XYZ Information other than as allowed in Section 1.

5. **VCP PRICING.**

ABC agrees to sell VCP chips to XYZ (as enhanced with enhancements that become part of the Licensed Technology as described above) at a price. [*] XYZ is entitled to audit the records of ABC through XYZ's auditor, solely to verify ABC pricing, provided that such audit shall occur no more than once per year, and such auditor shall be acceptable to ABC and shall have executed an appropriate nondisclosure agreement. If such an audit discloses a pricing discrepancy unfavorable to XYZ of greater than five (5) percent, then ABC will pay the reasonable costs of such audit plus interest on the discrepancy of twelve (12) percent simple interest per annum.

6. **WARRANTIES.**

ABC warrants that all portions of the Licensed Technology owned by third party licensors of ABC, if any, are provided to XYZ hereunder pursuant to appropriate authority of those third parties, and ABC owns all rights in and to all other portions of the Licensed Technology, free of any liens, claims, encumbrances or other restrictions that would impair XYZ's rights under this Agreement. The foregoing warranties exclude any warranty that the Licensed Technology does not infringe the intellectual property rights of any third party. However, ABC warrants that to the best of its knowledge the Licensed Technology does not infringe the intellectual property rights of any third party.

ABC warrants that the Licensed Technology shall be free of material defects and shall function in conformance with its published documentation and other specifications customarily provided to ABC's licensors for a period of thirty (30) days from the date of delivery of the Licensed Technology. During such thirty-day period, XYZ may return the Licensed Technology to ABC for a full refund of all moneys paid to ABC hereunder if XYZ is not satisfied with the Licensed Technology.

ABC represents and warrants that as of the effective date of this agreement it has received no notice that the Licensed Technology infringes any patent, copyright, trade secret, or other intellectual property right (collectively "Intellectual Property Rights") of any third party. ABC will immediately advise XYZ of any such notice received by ABC in the future as it applies to Licensed Technology, and whether the enhancement was done by ABC or XYZ; likewise, XYZ will notify ABC of any notice XYZ receives where there is a claim that applies to Licensed Technology, and whether the enhancement was done by ABC or XYZ. Each party bears the risk that some party claims or sues it with respect to alleged infringement of intellectual property rights of others; provided that the other party will cooperate in such litigation to the extent it can be helpful in defending against such claims of other third parties.

EXCEPT AS SET FORTH IN SECTIONS 6, AND ABOVE, NEITHER PARTY SHALL MAKE ANY WARRANTIES, EXPRESS OR IMPLIED, AS TO THE QUALITY, PATENTS OR COPYRIGHTS OF ANYTHING DELIVERED HEREUNDER AND ENHANCEMENTS, EXCEPT AS SPECIFIED IN THIS AGREEMENT. EACH PARTY MAKES NO INDEMNITY IN THE EVENT THAT THE OTHER PARTY IS SUED FOR ANYTHING RELATED TO THE LICENSED TECHNOLOGY OR ENHANCEMENTS HEREUNDER EXCEPT AS SPECIFIED IN THIS AGREEMENT, BUT EACH PARTY WILL COOPERATE IN THE EVENT OF SUCH LITIGATION TO ASSIST

THE OTHER PARTY TO DEFEND SUCH LITIGATION. THE PARTIES SPECIFICALLY DISCLAIM LIABILITY FOR CONSEQUENTIAL DAMAGES.

7. **CONFIDENTIAL INFORMATION.**

The parties will keep confidential any information provided to it by the other party that is proprietary to the other party and marked confidential; provided such information shall not be considered proprietary once it is in the public domain by no fault of the other party. Such confidentiality will be maintained by the other party with the same care that such party would use for its own confidential information, but in any event with reasonable care.

8. **RECRUITING.**

Until such time as the parties cease to share enhancements, each party agrees not to directly solicit the employment, either temporary, full time or consultancy, of any person after the effective date who was employed by the other party within one (1) year of the date of such potential hiring.

9. **COMPLETE AGREEMENT.**

This is a complete agreement binding upon the parties, their heirs, successors, and assigns. It may only be modified in writing signed by officers of both parties.

10. **GOVERNING LAW.**

This Agreement shall be governed by the laws of the State of Delaware, excluding its choice-of-law provisions.

11. **INDEPENDENT CONTRACTORS.**

The parties are independent contractors, and nothing herein shall be deemed to create any agency, joint venture, or partnership relationship between them. Neither party shall have the right to bind the other to any obligation, nor have the right to incur any liability on behalf of the other.

12. **FORCE MAJEURE.**

Neither party shall be liable to the other for delay or failure to perform to the extent such delay or failure to perform is due to causes beyond the reasonable control of the party affected.

13. **ASSIGNMENT.**

Neither party shall assign this Agreement or its rights hereunder without the prior written consent of the other party, except to an affiliate of that party; provided, however, in the event of a change in control of one party through a merger, consolidation or other business combination or acquisition by or with a person or entity a material portion of whose business is the sale or licensing of products that are competitive with products of the other party, the other party shall have the right to terminate the licenses granted by both parties hereunder.

14. **NON-WAIVER.**

No course of dealing or failure of either party to enforce strictly any term, right, obligation, or provision of this Agreement shall be construed as a waiver of such provision.

15. **SEVERABILITY.**

If any provision of this Agreement shall be held invalid or unenforceable, such provision shall be deemed deleted from the Agreement and replaced by a valid and enforceable provision that achieves, as much as possible, the same purpose, and the remaining provisions of the Agreement shall continue in full force and effect.

IN WITNESS WHEREOF, the parties have executed this Agreement.

ABC, INC.	XYZ CORP.
By : _____	By : _____
Name	Name
Title	Title

第2章
商品化契約

〈2-1 国際商品化契約〉
横井 康真● *Yasumasa Yokoi*

〈2-2 国内商品化契約〉
安部 敬二郎● *Keijiro Abe*

2-1 国際商品化契約

1 ビジネスモデル

　商品にアニメや漫画などで人気の登場人物がプリントされていたり，著名人の氏名などが入っていたりすると，当該商品に接した者の注意を惹き，販売促進に大きな力（「顧客吸引力」などともいう）を発揮することから，このようなアニメや漫画の登場人物，又は，著名人の氏名などが商品を製造・販売する際に利用されている。

　かかる商品化ビジネスを行うには，まず，その対象について商品化をコントロールする権利を確保する必要がある。この商品化をコントロールする権利を「商品化権」という。この商品化権は，ある固有の権利として特定の法律に明記されているものではなく，キャラクター等の種類や利用方法などによって，著作権法，商標法，不正競争防止法及び憲法などの各法律が適用され，認められるものである。

　このようなキャラクター等についての本来の権利者（漫画でいえば，原作者など）は，自らの商品化権を適切に行使すべく，商品化契約を結ぶときには，商品分野ごとに，あるいは地域ごとに，適切な業者を募集・選定することが必要になる。そして，契約を結んだ各業者から使用料を徴収して，それを今後の創作活動や広告宣伝費用に再投資することで，さらに当該キャラクター等を有名にしてその価値を高めることができる。

　他方，当該キャラクター等につき商品化権を得た業者も，上記のように，当該キャラクター等がさらに有名になることで，当該キャラクター等を利用した

商品・サービスにつき，さらなる販売促進・顧客吸引が期待できることになる。

2　リスク分析

　商品化権の対象となるキャラクターといっても，さまざまなものが存在する。代表的なものとしては，漫画，アニメ，小説などに登場する架空の人物や動物などが挙げられる。アニメの登場人物などの場合には，その容貌や姿態などが視覚的に表現される。他方，小説における登場人物のように，視覚的な表現はなく，もっぱら文字の上で表現されたものもある。このほかにも，実在する人物や団体の氏名，容貌，マークなどあるいは商品やサービスなどを表す名称やマークなどもキャラクターとして利用される場合がある。

　このように，商品化の対象たるキャラクターには，さまざまな態様があり，さらには，その利用形態についても，単に商品にプリントするのか，それとも，キャラクターそのものを人形として販売するのかなど，さまざまなものが考えられる。

　商品化の対象及び利用形態が多岐に及ぶ以上，商品化契約を締結するにあたっては，これらのマッチングを考慮することがリスク分析の観点からは必要となる。つまり，商品化の対象たるキャラクターや著名人等には，それぞれのイメージがあり，また，商品やサービスの側にもそれらの顧客層やイメージがあるから，これらがうまくマッチングしないと，商品化権の対象と商品・サービスの両者につき，販売促進につながらないばかりか，イメージ等を毀損する可能性すらある。

　さらには，前述のように，商品化の対象については，それ自体が特定の法律によって規定され，保護されるものではなく，種々の法律により規定される権利の複合体であるから，商品化契約を締結しようとしている対象がいかなる法律によって規定され，保護されるものであるかを十分に把握しておくことも，将来的に生じるリスクを分析するという観点からは重要になろう。

3 関連する法律・許認可など

3.1 著作権法

　著作権によって保護を受ける場合には，当然のことながら，利用されるキャラクターが著作物に該当することが必要となる。アニメや漫画のキャラクターなどの視覚的に表現されるものの場合には，その容貌や姿態などが著作物として保護されると考えられる。すなわち，上記のような視覚的に表現されるキャラクターの容貌や姿態などの利用は，美術の著作物（10条1項4号）の利用として，著作権が及ぶこととなる。

　サザエさん事件（東京地判昭和51年5月26日判時815号27頁）では，漫画の特定の齣に描かれたキャラクターに著作権が及ぶことはもちろん，特定の齣を離れたキャラクターそれ自体にも著作権が及ぶことを認めた。

　当該判決以降，漫画やアニメのキャラクター等の容貌や姿態などを商品化に利用する場合に著作権が及ぶことには争いがないものと思われる。また，テレビゲームに登場するキャラクターについても同様に考えられよう。もっとも，キャラクターの名前については，それ自体著作物とはいえないため，著作権による保護は及ばない。

　他方，小説の登場人物のように，視覚的な表現のないキャラクターの場合には，美術の著作物ということはできない。ただし，小説の原稿に依拠して漫画を作成したような場合には，漫画は二次的著作物となり，その利用に関しては原著作者と二次的著作物の著作者は同一の権利を専有し（28条），両者の権利が併存することから，両者の合意が得られないと商品化をすることはできない（キャンディ・キャンディ事件，最判平成13年10月25日判時1767号115頁）。

3.2 商標法

　次に，商品やサービスに付された著名なブランド・マークなどを利用する場合には，商標権が問題となる。商標権は，特定の商品やサービスの範囲内で認められるものに過ぎず，当該権利は，登録の日から10年間を存続期間（19条）とするが，更新することも可能である。ただし，3年間継続して使用していない

と不使用取消審判によって取り消されることがある(50条)。

漫画のキャラクターや著名人の名前などについても，特定の商品やサービスを指定し，商標登録をすることが可能である。当該特定の商品やサービスにつき，かかる商標登録されたキャラクターを利用しようとする場合には，著作権のみならず，商標権についても使用許諾を得る必要がある。

3.3 不正競争防止法

商標権が及ばない場合であっても，既に広く知られた商品や営業表示と混同を起こさせるような商品等の表示を用いる場合には，不正競争防止法によって差止めや損害賠償の対象となる場合もある(2条1項1号，同2号，3条，4条)。関係者の努力の結果，広く認識され，一定の信用や名声を得た企業や団体の名称・ロゴ，キャラクターの名称，商品やサービスの名称・ロゴなどを無断で利用することは，他人の信用などに対するただ乗り(フリーライド)であり，不公正な競争手段であると考えられる。上記3.1で述べたとおり，キャラクターの名前自体には著作権の保護は及ばないが，「ドラえもん」などの極めて著名な名称を利用する場合などは，不正競争防止法の問題となる可能性はありうる。

3.4 憲法

上述した権利以外にも，肖像権や氏名権という権利が商品化権を構成する権利となりうる。

肖像権，パブリシティ権，氏名権等は，憲法上の人権である人格権の一つとして理解されている権利である。もっとも，憲法上具体的な規定はなく，幸福追求権等の一般的権利(憲法13条)から導き出され，現在では判例上も確立されている(ただし，「人格権」であるという性質上，現状では自然人のみに認められ，顧客吸引力が大きくても，物には認められない)。

テレビや映画のキャラクターを俳優が演じている場合には，商品化にあたっては，著作権とその俳優の肖像権の両方を考慮する必要がある。

4 契約書チェックポイント　☞モデル契約書4-2-1

　以下に挙げる例は，特定のキャラクターにつき，商品化権を有する日本企業であるXXX Corporationが，当該キャラクターを利用して商品化を図りたい中国企業のYYY Corporationに，当該キャラクターの利用を許諾するものである。

● ライセンス（第1条）

　商品化をすることができる商品を，別表「Exhibit A」で規定し，商品化できる商品の範囲を限定している。

　上記1や2で述べたとおり，対象キャラクターのイメージと当該キャラクターを利用する商品のマッチングを図ることは，契約当事者がWin-Winの関係を築くため，また，ミスマッチによるリスクを回避するために必要である。

● 地域（第2条）

　本条では，ライセンシーが商品化権を行使できる地域を限定している。ライセンサーのより有効な商品化権の行使という観点から，必要な規定である。

● 契約期間（第3条）

　本条は，本契約の開始及び終了時期を定めたものである。本契約では，それぞれの時期につき，別表「Exhibit C」で規定しているが，期日を契約書本体に規定してもかまわない。

● ライセンス料（第4条）

　本件キャラクター利用に関するライセンス料を規定している。

　まず，(a)において，最低保証額を規定する。かかる最低保証額の定めは，通常のライセンス契約でもよくみられるものであり，当該条項を入れることにより，ライセンサーとしてはライセンス対象商品の売上にかかわらず，安定的なライセンス収入を見込むことができる。

　他方でライセンシーとしては，当該条項を入れる場合には，ライセンス対象商品が売れない場合であっても，ライセンス料支払いが生じることになるのであるから，次の(b)で定められるような売上に比例するライセンス料（ランニングロイヤルティ）の料率を，最低保証額の定めがある場合に比べて下げるよう交渉すべきであろう。

(b)は，上述したとおり，ライセンス対象商品の売上等に応じて支払われるライセンス料の取決めであり，一般的なライセンス契約では1〜5％程度であるが，極めて顧客吸引力のあるキャラクター等の場合には，それより高い料率となることもある。また，売上個数に応じて料率を変動させることもよく行われる。

- **譲渡不能（第5条）**

ライセンシーが，本契約によって許諾されたライセンスを第三者に譲渡できないこと，許諾された商品を第三者に製造させられないこと，当該ライセンスをさらに第三者に対して許諾（サブライセンス）することはできないこと等が規定されている。

自らの商品を下請業者等の第三者に製造させること予定される場合には，ライセンシーとしては，上記の「許諾された商品を第三者に製造させない」という規定は削除するか，もしくは，「第三者」から，ライセンシーの指定する特定の者を除外する旨を規定するなどしておく必要がある。

- **報告義務（第6条）**

月ごとにライセンシーが流通させ，もしくは販売したライセンス対象商品の個数，価格などを記載した報告書をライセンサーに対して提供することを求める規定である。

ランニングロイヤルティを正確に徴収するためには，ライセンシーがライセンス対象商品をいくらでいくつ売ったのか，という情報をライセンサーとしては把握する必要があるため，このような報告書の提出は，ライセンシーに通常求められる義務であるといえる。

- **会計帳簿類（第7条）**

本条は，6条に加え，さらに正確にライセンス対象商品の売上げ等を把握するために，ライセンシーに当該ライセンスに関する会計帳簿類を保存することを求めるとともに，かかる帳簿類について，ライセンサーが調査をすることができるとする規定である。

- **著作権と商標表示（第8条）**

ライセンシーは，ライセンス対象商品につき，著作権表示ないしは商標表示を付与する義務があることを規定している。

ライセンサーが，対象となるキャラクターにつき商品化をコントロールするためには，ライセンシー以外の第三者にも，当該キャラクターについては著作権や商標権が及んでいることを示す必要があるため，一般的に設けられる規定である。

- **ライセンサーの事前承認**（第9条）

ライセンス対象商品につき，その頒布・販売の前に，品質やスタイル等についてライセンサーの事前承認を要求するものである。

これまで述べたとおり，ライセンシーが，利用許諾されているキャラクターに関するイメージや信用を破壊することなく活用することによって初めてライセンサーとライセンシーの間でWin-Winの関係が構築されるのであるから，かかるキャラクターのイメージ等を保持するために，あらかじめ，ライセンス対象商品の品質やスタイル等をライセンサーがチェックすることを規定している。

- **ライセンサーの権利保護**（第10条）

ライセンシーはライセンサーのキャラクターに関する権利や信用（Goodwill）を毀損しないよう配慮することに合意する規定である。

- **第11条～第24条**

当事者の権利・義務，契約の終了事由，終了した場合の効果，準拠法，管轄等を規定した一般的な条項であり，通常の契約においては当然に規定されている事項であるため，解説は割愛する。

MERCHANDISING AGREEMENT

THIS MERCHANDISING AGREEMENT ("Agreement") is made as of the date of below, by and between XXX Corporation ("Licensor"), a corporation incorporated under the laws of Japan and YYY Corporation ("Licensee"), a corporation incorporated under the laws of China with respect to certain merchandising rights in the original character entitled: [   ] (the "Character").

RECITALS

1. LICENSE

(a) Grant of License: Licensor grants to Licensee for the term of this Agreement, subject to the terms and conditions herein contained, and Licensee hereby accepts, the exclusive right, license and privilege to utilize the names, portrayal and likenesses as included in Character (collectively the "Property") solely and only in connection with the manufacture, advertising, distribution and sale of the article or articles specified in Exhibit "A" attached hereto (such articles being referred to herein as "Licensed Products") under the terms and conditions stated herein. Licensee agrees that it will not utilize the Property in any manner not specifically authorized by this Agreement.

(b) Limited Grant: Nothing in this Agreement shall be construed to prevent Licensor from granting any other licenses for the use of the Property in any manner whatsoever, except that Licensor agrees that, except as provided herein, it will grant no other licenses effective during the term of this Agreement, for use in the Licensed Territory of the Licensed Product. Licensor specifically reserves all rights not herein granted, including, without limitation, premium rights. For purposes of this Agreement, premium rights shall mean use of the Property in such manner as to identify it with a particular product or service other than the Licensed Products. It is clearly understood that the Licensed Products may not be sold for any secondary use without the prior written consent of the Licensor.

2. TERRITORY

The License hereby granted extends only to the territory described in Exhibit "B," attached hereto (hereinafter: "Licensed Territory"). Licensee agrees that it will not make, or authorize, any use, direct or indirect, of the Licensed Products or Property in any other area, and that it will not knowingly sell articles covered by this Agreement to persons who intend or are likely to resell them in any other area, to the extent this prohibition is permitted by law.

3. LICENSE PERIOD (THE "TERM")

The License granted hereunder shall be effective and terminate as of the dates specified in Exhibit "C," attached hereto unless sooner terminated in accordance with the terms and conditions hereof.

4. PAYMENT

(a) Guaranteed Minimum Compensation: Licensee shall pay to Licensor, as Guaranteed Minimum Compensation under this Agreement, not less than the minimum amount specified for the respective period of time set forth in Exhibit "D" attached hereto and such Guaranteed Minimum Compensation shall be paid in a manner and at the time specified in said Exhibit "D."

(b) Percentage Compensation: Licensee agrees to pay Licensor a sum equal to the percentage specified in Exhibit "E" in connection with the distribution of any units of the Licensed Products covered by this Agreement (hereinafter "Percentage Compensation") whether to third parties, to its affiliated, associated or subsidiary companies or otherwise. A Percentage Compensation shall also be paid by Licensee to Licensor on all Licensed Products distributed by Licensee to any of its affiliated, associated or subsidiary companies.

5. NON-ASSIGNABILITY

The License granted hereunder is and shall be personal to Licensee, and shall not be assignable by any act of Licensee or by operation of law. Licensee shall not have Licensed Products manufactured for Licensee by a third party unless Licensee first obtains Licensor's approval in writing and unless the third party enters into an agreement with Licensor not to supply Licensed Products to anyone other than Licensee. Any attempt by Licensee to grant sub-licenses or to assign or part with possession or control of the License granted hereunder or any of Licensee's rights hereunder shall constitute a material breach of this Agreement. Licensor shall have the right to assign this Agreement, in which event Licensor shall be relieved of any and all obligations hereunder, provided such assignee shall assume this Agreement and all rights and obligations hereunder in writing.

6. PERIODIC STATEMENTS

Within thirty (30) days after the initial shipment of the Licensed Products covered by this Agreement, and on the tenth day of each month thereafter, Licensee shall furnish to Licensor complete and accurate statements, certified to be accurate by Licensee, showing the number, description and sales price of the Licensed Products distributed and or sold by Licensee during the preceding month, including a statement of any returns made during the preceding month. Such statements shall be furnished to Licensor whether or not any of the Licensed Products have been sold during the month for which such statements are due. Percentage Compensation as provided in Exhibit "E" shall be payable by the Licensee simultaneously with the rendering of statements. Receipt or acceptance by Licensor of the statements furnished pursuant to this Agreement or of any sums paid hereunder shall not preclude Licensor from questioning the correctness thereof at any time, and if any inconsistencies or mistakes are discovered in such statements or payments, they shall immediately be rectified and the appropriate payments made by Licensee. Time is of the essence with respect to all payments hereunder.

7. BOOKS AND RECORDS

Licensee agrees to keep accurate books of account and records covering all transactions relating to the License hereby granted and Licensor and its duly authorized representatives shall have the right upon reasonable advance notice to an examination of said books of account and records and of all other documents and material, whether in the possession or under the control of Licensee or otherwise, with respect to the subject matter and the terms of this Agreement and shall have free and full access thereto for said purpose of making extracts and or copies therefrom. All books of account and records shall be kept available for at least one (1) year after the expiration or termination of this License, and Licensee agrees to permit inspection thereof by Licensor during such one (1) year period as well. The receipt or acceptance by Licensor of any of the statements furnished pursuant to this Agreement or of any Percentage Compensation paid hereunder (or the cashing of any checks paid hereunder) shall not preclude Licensor from questioning the correctness thereof at any time prior to the date one (1) year after the conclusion of the term of this Agreement, and if any inconsistencies or mistakes are discovered in such statements or payments, they shall immediately be rectified and the appropriate payments made by Licensee. If any such examination shows an under reporting and/or payment in excess of five percent (5%) of the total amount reported and/or paid for any twelve (12) months period and if that underpayment is acknowledged by Licensee or is affirmed by litigation or arbitration, then Licensee shall pay the costs of such examination and or litigation, including, without limitation, attorneys' fees with respect thereto.

8. **COPYRIGHT AND TRADEMARK NOTICES**

(a) Copyright and Trademark Notices: Licensee shall cause to be imprinted irremovably and legibly on all Licensed Products and on at least the principal face of all packaging, enclosure materials and advertising materials for the Licensed Products the complete copyright notice &copy: [name of copyright owner date of copyright] [The year of the copyright notice shall be the year in which the latest revision of the respective Licensed Products, packaging, enclosure or advertising is first placed on sale, sold or publicly distributed by the Licensee under the authority from Licensor].

Licensee shall also cause to be imprinted irremovably and legibly on all Licensed Products and on at least the principal face of all packaging, enclosure materials and advertising materials for the Licensed Products the appropriate trademark notice, either "TM" or "R" as Licensor shall determine, and shall affix the notice as specified by Licensor.

(b) Copyright Samples and Approval:
Prior to the production of any particular Licensed Product or of any packaging, enclosure, promotion and advertising therefor, Licensee shall deliver, at Licensee's expense to Licensor the following;
  (i) A complete set of art work and sketches and actual samples, if available of the applicable Licensed Product; and
  (ii) Its packaging, enclosures, promotional materials and advertising; for Licensor's written approval of the copyright and trademark form and of the manner and style of use of the Property.
  Once Licensor approves the trademark or copyright notice, Licensee will not deviate from the Licensor-approved notice. Licensee shall make such deliveries

145

to Licensor each time a new Licensed Product, packaging, enclosure, promotion or advertising is to be produced. Public sale and distribution will not be made until Licensor's approval pursuant to this Sub clause 8 (b) is received.

9. LICENSOR'S APPROVAL OF LICENSED PRODUCTS, ADVERTISING, CONTAINERS, MATERIALS

The quality and style of the Licensed Products as well as any carton, container, packing or wrapping material shall be subject to the express written approval of Licensor prior to distribution and sale thereof. Each and every tag, label, imprint or other device used in connection with any Licensed Products and all advertising, promotional or display material bearing the Property and or Licensed Products shall be submitted by Licensee to Licensor for express written approval prior to use by Licensee. Such approval may be granted or withheld as Licensor in its sole discretion may determine. Licensee shall, before selling or distributing any of the Licensed Products, furnish to Licensor free of cost, for its express written approval, three (3) prototype samples of (a) each Licensed Product, (b) each type of carton, container, packing and wrapping material used with each Licensed Product, (c) each and every tag, label, imprint or other device used in connection with any Licensed Product, and (d) all advertising, story board, script, promotional or display material bearing the Property and or Licensed Products.

Said samples shall be sent to Licensor by means permitting certification of receipt at the mailing address stated in the notice clause herein. Failure by Licensor to approve in writing any of the samples furnished to Licensor within two weeks from the date of submission thereof shall be deemed approval thereof. After samples have been approved pursuant to this clause, Licensee shall not depart therefrom in any respect without the express prior written approval of Licensor. The prototypes shall conform to the requirements of Clause 8.

10. PROTECTION OF LICENSOR'S RIGHTS AND INTERESTS

Licensor and Licensee agree that Licensee's utilization of the Property upon or in connection with the manufacture, distribution and sale of the Licensed Products is conditioned upon Licensor's protection of its rights and obtaining the goodwill resulting from such use. Licensee agrees to protect Licensor's rights and goodwill as set forth hereinbelow and elsewhere in this Agreement.

(a) Good Will and Protection ;

(i) Licensee recognizes the great value of the publicity and goodwill associated with the Property and, in such connection, acknowledges that such goodwill exclusively belongs to Licensor and that the Property has acquired a secondary meaning in the mind of the purchasing public. Licensee further acknowledges that all rights in any additional material, new versions, rearrangements, or other changes in the Property which may be created by or for Licensee, shall be and will remain the exclusive property of Licensor and the same shall be and will remain a part of the Property under the terms and conditions of this Agreement.

(ii) Licensee shall assist Licensor and or Licensor's authorized agents to all reasonable extent requested by Licensor in obtaining and maintaining in Licensor's name any and all available protection of Licensor's rights in and to the Property; specifically, Licensee agrees to sign documents, give testimony, provide facts and otherwise cooperate with Licensor and its agents in obtaining registrations, assignments, certificates and the like evidencing Licensor's rights in the Property. Pursuant to the foregoing, Licensee shall assign over to Licensor, at Licensor's request, formal and absolute title subject to the License granted herein, to any protectable new version, variation, revision, arrangement of compilation of the Property, ownership of which shall be absolute in Licensor.

(iii) Licensor may, if it so desires, and in its reasonable discretion, commence or prosecute any claims or suits against infringement of its right in the Property and may, if it so desires, join Licensee as a party in such suit. Licensee shall notify Licensor in writing of any activities which Licensee believes to be infringements or utilization by others of the Property or articles of the same general class as the Licensed Products, or otherwise.

(b) Indemnification By Licensee: For purposes of this Sub clause 10 (b) "Indemnified Parties" refer to Licensor, and their parents, subsidiaries and affiliates, and co-producers and co-venturers of Licensor.
Except for the rights licensed hereunder by Licensor to Licensee, Licensee hereby indemnifies and shall hold harmless the Indemnified Parties and each of them from and against the costs and expenses of any and all claims, demands, causes of action and judgments arising out of the unauthorized use of any patent, or out of infringement of any copyright, trade name, patent or libel or invasion of the right of privacy, publicity, or other property fight, or failure to perform, or any defect in or use of the Licensed Products, or the infringement or breach of any other personal or property right of any person, firm or corporation by Licensee, its

officers, employees, agents or anyone, directly or indirectly, acting by, through, on behalf of, pursuant to contractual or any other relationship with Licensee in connection with the preparation, manufacture, distribution, advertising, promotion and or sale of the Licensed Products and or any material relating thereto and or naming or referring to any performers, personnel, marks and or elements. With respect to the foregoing indemnity, Licensee shall defend and hold harmless Indemnified Parties and each of them at no cost or expense to them whatsoever, including but not limited to attorneys' fees and court costs. Licensor shall have the right but not the obligation to defend any such action or proceeding with attorneys of its own selection.

(c) No Licensor Warranty: Licensor makes no warranty or representation as to the amount of gross sales or net sales or profits Licensee will derive hereunder. Licensor shall not be under any obligation whatsoever to continue the distribution of the Property or to continue to use any element of the Property.

11. SPECIFIC UNDERTAKINGS OF THE PARTIES

(a) Licensor warrants, represents and agrees that it has certain ownership rights in and has the right to grant licenses to utilize the names, portrayal and likenesses as included in Character.

(b) Licensee warrants, represents and agrees that:
  (i) It will not dispute the title of Licensor in and to the Property or any copyright or trademark pertaining thereto, nor will it attack the validity of the License granted hereunder;
  (ii) It will not harm, misuse or bring into dispute the Property or any part thereof;
  (iii) It will manufacture, sell and distribute the Licensed Products in an ethical manner and in accordance with the terms and intent of this Agreement;
  (iv) It will not incur any costs chargeable to Licensor;
  (v) It will not enter into any sublicense or agency agreement for the sale or distribution of the Licensed Products;
  (vi) It will diligently and continuously solicit sales of the Licensed Products and actively offer the Licensed Products for sale, and make distribution in order to meet orders for the articles covered by this Agreement;
  (vii) It will not grant exclusivity to any purchaser without the written consent of Licensor; and
  (viii) It will coordinate the release, promotion, and distribution and sales

activities for the Licensed Products with the release of the Property in such manner as Licensor shall request.

12. TERMINATION

(a) If Licensee files a petition in bankruptcy or is adjudicated a bankrupt or if a petition in bankruptcy is filed against Licensor or if Licensee becomes insolvent or makes an assignment for the benefit of its creditors or an arrangement pursuant to any bankruptcy law or if Licensee discontinues its business or if a receiver is appointed for it or its business, the License granted hereunder, without notice, shall terminate automatically (upon the occurrence of any such event).

(b) If Licensee shall violate any of its obligations or conditions under the terms of this Agreement, Licensor shall have the right to terminate the License herein granted upon thirty (30) days' notice in writing, and such notice of termination shall become effective, unless Licensee shall completely remedy the violation and satisfy Licensor that such violation has been remedied within the thirty (30) days period.

(c) If the License granted hereunder is terminated in accordance with the provisions of Sub clauses 12 (a) or 12 (b), all compensation theretofore accrued shall become due and payable immediately to Licensor, and Licensor shall not be obligated to reimburse Licensee for any payment theretofore paid by Licensee to Licensor.

13. FINAL STATEMENT UPON TERMINATION OR EXPIRATION

As soon as practical after termination or expiration of this Agreement, but in no event more than thirty (30) days thereafter, Licensee shall deliver to Licensor a statement indicating the number and description of Licensed Products which Licensee has on hand (or in process of manufacture)as of (a) sixty (60) days prior to the end of the Term of this Agreement, or (b) fourteen (14) days after receipt from Licensor of a notice terminating this Agreement (in the event no such notice was given, fourteen (14) days after the occurrence of any event which terminates this Agreement) whichever shall be applicable.

14. DISPOSAL OF STOCK UPON EXPIRATION

Upon expiration of the term of this Agreement, Licensee shall have the right, pursuant to the provisions hereof, to dispose of all Licensed Products, theretofore manufactured at the time of the expiration of the License granted hereunder, for a period of ninety (90) days after the date of such expiration subject to the condition that Licensee pays to Licensor all compensation accrued to such time and delivers to Licensor a report in the form required by Clause 6 above to such time. Notwithstanding anything to the contrary contained herein, Licensee shall not sell or dispose of any Licensed Products if this Agreement is terminated for any cause set forth in Clause 12 above.

15. EFFECT OF TERMINATION OR EXPIRATION

Upon expiration of the License granted hereunder or the earlier termination thereof, all rights granted to Licensee hereunder shall forthwith revert to Licensor, and Licensee thereafter, directly or indirectly, shall not use or refer to, except as provided in Clause 14, above, the Property or any name, trademark or designation which in Licensor's reasonable opinion is similar to the Property, in connection with the manufacture, sale or distribution of products of the Licensee. Licensee shall upon the expiration or termination turn over to Licensor all molds and other materials which reproduce the Licensed Products, or give Licensor satisfactory evidence of their destruction.

Licensee hereby agrees that at the expiration or termination of this Agreement for any reason, Licensee will be deemed automatically to have assigned, transferred and conveyed to Licensor any and all copyrights, trademark or service mark rights, goodwill or other right, title or interest in and to the merchandising of the Property which may have been obtained by Licensee or which may have vested in Licensee in pursuance of any endeavors covered hereby. Licensee will execute, and hereby irrevocably appoints Licensor its attorney-in-fact (acknowledging that such power is coupled with an interest) to execute, if Licensee fails or refuses to do so, any instruments requested by Licensor to accomplish or confirm the foregoing. Any such assignment, transfer or conveyance shall be without consideration other than the mutual covenants and considerations of this Agreement. Also, upon expiration or termination of this Agreement, Licensor shall be free to license to others the right to use the Property in connection with the manufacture, sale and distribution of the Licensed Products.

16. REMEDIES OF LICENSOR

(a) Licensee acknowledges that the failure of the Licensee to cease the manufacture, sale or distribution of Licensed Products except as herein permitted upon the expiration or earlier termination of the License granted hereunder or the failure of Licensee to fulfill its obligations specified in Clauses 4, 6, 8, 9, 10, and 11, will result in immediate and irremediable damage to Licensor and to the rights of any other licensee of the Property. Licensee acknowledges that Licensor has no adequate remedy at law for any such failure referred to or referenced to in this Clause and in the event of any such failure, Licensor shall be entitled to equitable relief by way of temporary and permanent injunctions, in addition to such other further relief as any court of competent jurisdiction may deem just and proper.

(b) If Licensor uses any remedy afforded by this Clause, Licensor shall not be deemed to have elected its remedy or to have waived any other rights or remedies available to it under this Agreement, or otherwise.

17. FORCE MAJEURE

Licensee shall be released from its obligations hereunder in the event that governmental regulations or conditions arising out of a state of national emergency or war, or causes beyond the control of Licensee render performance by Licensee hereunder impossible. The release of obligations under this Clause shall be limited to a delay in time for Licensee to meet its obligations for a period not to exceed three (3) months, and if there is any failure to meet such obligations after that period, Licensor shall have the absolute right to terminate this Agreement upon fourteen (14) days' notice in writing. Such notice of termination shall become effective if Licensor does not completely remedy the violation within the same fourteen day period and satisfy Licensor that such failure has been remedied.

18. RESERVATION OF RIGHTS

Licensor reserves all rights pertaining to the Property, except as specifically granted herein to Licensee.

19. NOTICES

(a) All notices to be given to Licensor hereunder and all statements and payments to be sent to Licensor hereunder shall be addressed to Licensor at [   ] or at such other address as Licensor shall designate in writing from time to time.

All notices to be given to Licensee hereunder shall be addressed to it at [   ], or at such other address as Licensee shall designate in writing from time to time.

All notices shall be in writing and shall either be served by Certified or Registered Mail Return Receipt Requested, or telegraph, all charges prepaid. Except as provided herein, such notices shall be deemed given when mailed or delivered to a telegraph office, all charges prepaid, except that notices of change of address shall be effective only after the actual receipt thereof.

(b) Submission: All submissions pursuant to Clauses 9 and 10 shall be forwarded by personal delivery or mail, all charges prepaid by Licensee pursuant to the provisions of Subclause 19 (a) above.

20. WAIVER, MODIFICATION, ETC.

No waiver, modification or cancellation of any term or condition of this Agreement shall be effective unless executed in writing by the party charged therewith. No written waiver shall excuse the performance of any act other than those specifically referred to therein. Licensor makes no warranties to Licensee except those specifically expressed herein.

21. NO PARTNERSHIP, ETC.

This Agreement does not constitute and shall not be construed as constituting an agency, a partnership or joint venture between Licensor and Licensee. Neither party hereto shall hold itself out contrary to the terms of this Clause, and neither Licensor nor Licensee shall become liable for any representation, act or omission of the other contrary to the provisions hereof. This contract shall not be deemed to give any right or remedy to any third party whatsoever unless said right or remedy is specifically granted by Licensor in writing to such third party.

22. GOVERNING LAW

This Agreement shall be governed by and construed in accordance with the Laws of Japan. Any suit, action or proceeding concerning this Agreement shall be brought in Japan and handled by the Tokyo District Court.

23. ENTIRE AGREEMENT

This Agreement constitutes the entire agreement between the parties and supersedes all prior agreements and understandings, oral and written, between the parties respects to the subject matter hereof.

24. SEVERABILITY

If any provision of this Agreement shall be held void, voidable, invalid, or inoperative, no other provision of this Agreement shall be affected as a result thereof, and, accordingly, the remaining provisions of this Agreement shall remain in full force and effect as though such void, voidable, invalid, or inoperative provision had not been contained herein.

IN WITNESS WHEREOF, the parties hereto have signed this Agreement of the day and year first above written.

AGREED TO AND ACCEPTED :

LICENSOR :   LICENSEE :
_____   _____
By : _____   By : _____

EXHIBITS ANNEXED TO LICENSE AGREEMENT BETWEEN XXX Corporation and YYY Corporation dated.

Exhibit "A" LICENSED PRODUCTS
Exhibit "B" LICENSED TERRITORY
Exhibit "C" LICENSE PERIOD
Exhibit "D" GUARANTEED MINIMUM COMPENSATION :
Exhibit "E" PERCENTAGE COMPENSATION :

2−2 国内商品化契約

1 ビジネスモデル

　日本国内の商品化契約では，国際版に比べて詳細な規定が決められていないことも多い。しかし，漫画アニメ等の登場人物，デザインに特徴のある車両等の機械，ゆるキャラといわれる架空の存在等を含めた，いわゆるキャラクターを，そのデザイン等の著作権を有する権利者から複製等の許諾を得るという本質は何ら変わるものではない。

　ここで掲げる書式は国内でありがちな簡単な契約書式についての解説であり，合意管轄等のよくある一般条項もないが，本来は国際版のような詳細な書式が望ましいことは明白であろう。

　キャラクターは，原作や実物とまったく同じ姿かたちをしているとは限らない。したがって，権利者の思想又は感情を創作的に表現したものとしての著作権が及ばないことは十分にありうるが，キャラクターとしての抽象化によって著作権が及ばなくなる範囲が不明確である以上，権利者からいろいろな形式での複製の許可を得ておくことはビジネスにおいては不可欠であろう。

2 契約書チェックポイント　　　☞モデル契約書4-2-2

- **商品化権の許諾**（第1条）
　商品化するキャラクターの定義，そして商品化許諾を受ける製品の種類の定義の重要性は非常に高い。特にキャラクターは名称だけではなく別紙においてさまざまな表現を掲げ，抽象化されうるものであることを目指すべき。許諾の範囲も製品だけなのか広告宣伝も許諾するのか，その際，別個の使用料が発生するかを明確にするべきである。
- **期間**（第2条）
　商品化権許諾契約では合意による更新を規定することが多いが，合意である以上，契約条件の再交渉は当然に必要となる。自動更新を使わないの

は，キャラクターの重要性がその人気の変動や商品の流行によって変わりうるため，再交渉の機会を定期的に設けた方がいいと考えられているためであろう。この条項では，更新は1年間のみ可能であるが，2年後も再契約することは当然に可能であり，更新との違いはそこまでない。2年後の再契約の時には新たな条件交渉となる可能性がより高いだけだと思われる。

- 地域（第3条）

 本契約では本商品の製造が日本で行われない場合は規定されていない。そもそも知的財産権は各国ごとに定められた権利であり，外国で製造や販売するときにはその国における権利許諾を明記するべきである。

- 利用条件（第4条）

 キャラクターの管理のために，どのようなデータに基づいて製品化をさせるかは明記するべき。甲が供給するのが望ましいが，製造に使うデータを甲が監修し同意する構成もありうる。名称・形状に関して他の知的財産権（商標権，意匠権等）が発生するかどうかは不明確であることが多いが，キャラクターの権利保護という意味では入れておいた方が安全である。

- 商標及び意匠登録（第5条）

 本キャラクターだけでなく製造販売する本商品まで商標登録の禁止をしている点で厳しめの条項である。本商品の名称・性質を乙と協議する必要はあると思われる。

- 権利侵害（第6条）

 乙に対する第三者からの侵害の主張に対して，甲が第三者の著作権侵害をしていることが確定しない限り甲はまったく責任を負わないという規定もありうるし，逆に，甲が乙に第三者から著作権等の侵害の主張を受けた場合には甲の責任でその主張を退け，乙に損害が発生すればその損害を補償するという規定もないわけではない。権利侵害をどう扱うかは交渉材料の一つである。

- 製造物責任保険（第7条）

 製造物責任の必要性は乙の製造する商品の性質による。甲が保険を指定すること，保険証券の確認をすること等も定めることもできる。

- 秘密保持（第8条）

　秘密情報に対して㊙マーク等の添付を求めたり，その性質上秘密と分かるものとの限定をつけたりする規定もありうる。秘密情報でなくなる場合を明確に規定した条項も多い。たとえば，公知の事実や第三者からの秘密保持義務違反ではない取得等を秘密情報に該当しないと列記する形式である。

- 契約の解除（第9条）

　甲がキャラクターの使用を許諾しているので，第2項は乙の信用状態による即時解除としている。乙からすれば，甲の信用悪化はキャラクターの価値の毀損につながるので，甲の信用悪化の条項を入れたいであろう。解除は損害賠償の請求を妨げないとの注意規定が加えられていることも多い。なお民法改正により無催告解除の要件が542条1項及び2項に明文化されたので，その条項を無催告解除条項にも付け加えることとした。

- 本契約の変更（第10条）

　誠実に協議する義務を定めた条項は日本の契約では多いが，ほとんど意味を有しない。日本の文化と受けとめるしかない。契約の変更を定める際の手続はいろいろな定めができる。両当事者の代表者の直筆署名捺印からある一定の権限者による記名押印やファクシミリ電子メールによる権限者の合意等も考えられる。

- 権利義務譲渡の禁止（第11条）

　一般条項であるが，意外に問題となることがある。他社への譲渡，自社グループの組織再編，営業譲渡の可能性等を真摯に考える必要はある。改正民法466条2項により，権利譲渡は原則として自由となったため，譲渡制限の意思表示が契約条項上あることを書面によって譲受人に通知することを求めることにより，譲渡された債権に対する履行を拒みうるように構成した。それでも社会の要請や今後の判例の蓄積においてはかかる条項自体の有効性が争われる可能性があることは留意されたい。

- 完全合意（第12条）

　これも一般条項であるが，重要性は意外に高い。契約以前の打合せでなされた提案やホワイトボード等に記載された約束が，担当者同士の意識に残っていることなどがあるからである。なお，改正民法151条の協議合意

による時効完成猶予を想定する場合には，この条項内で規定しておくことが望ましい。その場合，書面又は電磁的記録で協議を行う旨の合意を作成する義務を課すべきである。

商品化権使用許諾契約書

[　　　　　](以下,「甲」という。)と[　　　　　](以下,「乙」という。)とは,甲が(著作権を有する)キャラクター[「　　　　」](別紙1)の商品化権の許諾に関し,次のとおり契約する。

第1条（商品化権の許諾）
1　キャラクター[「　　　　　」]((以下,「本キャラクター」という。)とは,甲が著作権者もしくは著作権者から商品化許諾に関して委任を受けた者として許諾する権利を有する別紙1に掲げた様々な表現及びかかる表現から昇華して一般的に受け入れられている抽象的な概念をいう。
2　甲は乙に対し,乙が製造もしくは販売する本契約別紙2に記載した商品(以下,「本商品」という。)及び本商品に関連した宣伝広告(販売促進物を含むがこれに限られるものではない。)について,本契約の期間中,本キャラクターの権利(著作権ならびに名称及び形状に関するその他の権利)を複製によって使用する権利(以下,「本商品化権」という。)を許諾する。
3　乙は,甲の事前の書面による承諾によることなく,本商品化権を第三者に譲渡し,もしくは再許諾し,又は第三者のために担保を設定してはならない。

第2条（期間）
　　この契約の有効期間は,両当事者が署名した日から,本契約の第9条によって解除されない限り,1年間とする。ただし,当事者は,前項に定める期間の満了日の3か月前までに合意して,この契約をさらに1年間更新することができる。

第3条（地域）
　　乙による本商品化権の行使は,日本国内に限定される。乙は,本商品を,直接又は間接に他の国に輸出してはならない。

第4条（利用条件）
1　乙は甲が供給する本キャラクターのデータに基づいて本商品を製造しなければならない。本商品の販売促進物等を作成する場合も,甲から書面による別データの使用の同意を得ない限り,同様とする
2　乙は,本契約に基づいて製造する本商品及び本商品の販売促進物の見本を,ラベル,包装,容器等とともに甲に各3部提出し,その監修及び承認を得た上で,本商品の製造及び販売を開始することができる。甲は,合理的な範囲で,乙の費用

負担によりその修正を命ずることができる。
3　乙が本商品製造にあたり使用する本キャラクターの著作権及びその名称・形状に関する知的財産権は，著作権法27条（翻訳権，翻案権等）及び28条（二次的著作物の利用に関する原著作者の権利）に定める権利を含め，甲に帰属することを確認する。
4　乙は，この契約に基づいて製造する本商品の販売及び宣伝において本キャラクターの改変等により，その同一性及び顧客吸引力，営業上の信用を損なわないように最大限注意しなければならない。

第5条（商標及び意匠登録）

　　乙は，甲の書面による同意を得ないで，本キャラクターもしくは本契約に基づいて製造する商品について商標もしくは意匠登録の出願をし，又は，本キャラクターを商標，サービス・マークとして使用してはならない。

第6条（権利侵害）

　　乙は，本キャラクターの著作権を侵害し，又はその他の方法で本契約に基づく商品化事業に対して不正競争を行う者を発見したときは，直ちに甲に通知し，これに対してとるべき措置について甲の指示に従い，かつ，甲に必要な協力を行うものとする。甲はかかる通知を受けた場合には，適切な措置をとるように努めなければならない。

第7条（製造物責任保険）

1　乙は，本商品の製造，販売又は宣伝にあたり，安全，衛生等に関する現行法令及び業界基準を遵守し，十分に留意しなければならない。また，生命・身体・財産等に発生する損害を補填するため，本契約の有効期間中及びその後3年の間，甲が必要かつ十分と同意できる製造物責任保険等の保険を，乙の費用と責任において加入しなければならない。
2　甲は，乙が前項に違反した場合は，本商品の製造・販売の停止及び本商品の回収又は破棄を指示することができ，乙はその指示に従わなければならない。

第8条（秘密保持）

　　甲及び乙は，本契約に基づき相手方から開示を受け，その他本契約の履行の過程で取得した相手方に関する情報を秘密に保ち，事前に相手方の書面による同意を得ない限り，第三者に開示又は漏洩してはならない。本条に基づく義務は，本契約終了後2年間存続するものとする。

第9条（契約の解除）
1 甲及び乙は，相手方が，本契約に定める義務を履行しない場合，14日以上の期間を定めて義務の履行を書面で求め，かかる期間内に不履行が是正されない場合，その不履行が軽微なものであると甲乙ともに明白に認めるときを除いては，本契約を解除することができる。
2 乙が次のいずれかにでも該当したときは，甲は何らの通知及び催告を要せず直ちに本契約を解除できるものとする。
  (1) 自ら振出又は引受をした手形もしくは小切手が不渡りとなる等支払不能状態又は信用不安状態 に陥った場合。
  (2) 第三者から，強制執行，競売，滞納処分の申し立てを受け，又は破産，民事再生，特別清算もしくは会社更生手続の申し立てを自ら申し立てた場合。
  (3) 法令に違反し行政から営業停止等の処分を受けた場合。
  (4) 甲と紛争状態に陥る等，信頼関係が著しく低下した場合。
  (5) 経営及び活動に暴力団又は反社会的勢力を関与させ，又はこれらの者の出入りを許容した場合等公序良俗に反する行為を行った場合。
  (6) 代表者もしくは法人自らが刑事訴追を受けた場合。
  (7) 民法第542条第1項各号に掲げる場合で相手方に明白な帰責事由が存在しない場合又は同条第2項に掲げる場合。

第10条（本契約の変更）
　甲及び乙は，本契約事項の変更，追加，削除の必要が生じた場合及び契約に定めのない事項については甲乙間で誠実に協議の上決定する。ただし，当該協議決定事項は，両当事者の代表者又は正当に本人から権限を与えられた代理人の署名（又は記名押印）のある，合意の日付及び合意が発効する日付を明確に表示した書面によらなければ法的拘束力を有しないものとする。

第11条（権利義務譲渡の禁止）
　甲及び乙は，相手方の書面による承諾を得ることなく，本契約により生じる権利，義務の全部又は一部を第三者に譲渡し，承継させもしくは担保に供してはならないものとする。但し，本契約に基づく権利について，あらかじめ上記の第三者に対して本条に定める譲渡制限特約の内容を書面により通知し，かつその書面の原本証明付写しを相手方に交付した場合は，権利の譲渡に関しては本条の違反を構成しないものとする。かかる手続きを怠った債権譲渡がなされた場合には，相手方は催告なく直ちに本契約を解除できるものとする。

第12条（完全合意）
　本契約は，締結日現在における甲及び乙の本契約の目的及びこれに関連した事項の完全な合意を規定したものであり，本契約締結以前に両当事者間でなされた協議内容，合意事項又は一方当事者から相手方に提供された提案，申入れその他の通知と本契約の内容とが相違する場合は，本契約が優先するものとする。

　本契約の締結を証するため，本契約書2通を作成し，甲及び乙がそれぞれ1通を保管する。

　　　　　年　　月　　日

　　　　　　　　　　（甲）　住所
　　　　　　　　　　　　　　氏名　　　　　　　　　　㊞

　　　　　　　　　　（乙）　住所
　　　　　　　　　　　　　　氏名　　　　　　　　　　㊞

第3章
製薬業界におけるライセンス契約

西岡 毅● *Tsuyoshi Nishioka*

1 ビジネスモデル

1.1 製法特許から物質特許へ

　製薬業界におけるライセンス契約では，ある企業が他の企業に対して，製法特許あるいは物質特許のライセンスを付与して，薬品の製造・販売等を行わせることが一般的に行われている。製法特許とは，ある化学物質の製造方法に対して付与される特許権をいい，物質特許とは，新たに生成された化学物質そのものに対して付与される特許権をいう。

　わが国においては，従来は製法特許しか認められておらず，新たな化学物質が発見された場合でも特許は製法にしか付与されなかったことから，他の企業が別の製法によりその化学物質を生成してこれを自由に利用することが可能であったため，新薬開発のモチベーションが阻害されてしまうという問題があった。この問題は，昭和51（1976）年の法整備によって化学物質そのものについても特許を取得できるようになったことから，解決された。

1.2 ベンチャービジネスの発展

　製薬業界における従来の典型的なビジネスモデルでは，大手製薬会社側がライセンサーとなり，中小企業側がライセンシーになるという形態が主流であった。しかし，最近は，大手製薬会社が，あまり名の知られていないベンチャー企業が開発した物質のライセンス利用権を取得してライセンシーとなり，それを大手製薬会社の商標のもとに販売するという方法がとられることが増加している。大手製薬会社としては莫大な開発費用を削減することができるし，ベンチャー企業としては自己の弱点であるネームバリューの欠如を補

うことができるなど，双方にとってメリットがある。

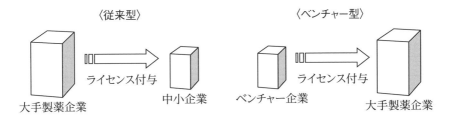

1.3 独占的利用権から共同開発へ

昨今，開発費の削減といった事情から，独占的利用権を付与するのではなく，複数企業間で共同開発を行うという形態も増加している。この場合，複数企業間で共同してライセンスを利用することになるが，どの範囲でライセンスの利用を認めるか，どのような割合で利益・費用を負担するか，また，開発が不成功に終わった場合に，厚生労働省への届出の取下げや治験受託施設・治験医師との契約関係の清算の手続をどうするか等，複雑な問題を生じる。また，合併や買収が繰り返され，組織再編が相次ぐ昨今の製薬業界においては，ある企業の経営体制に変化が生じた場合に，そもそも共同開発を続行すべきかといった問題も生じよう。よって，独占的利用権の場合に比べ，共同開発に関する契約締結にはより慎重を要する。

1.4 PLCMと特許防衛

PLCM（Product Life Cycle Management）とは，おおまかに言えば，医薬品の価値を最大化し，製品寿命の延長を図ることである。その具体的内容は多岐にわたるが，ここでは，当該医薬品の周辺領域についても特許を取得して，後発薬品の算入を牽制するという方策について述べる。

医薬品関連の特許には，合計で最長25年間の保護が与えられうるが，新薬開発においては，新薬開発の期間の長さ（10年以上かかることも稀ではない），開発リスク，莫大なコスト等を考慮すれば，特許権の保護期間としては，これでも充分とは言えないであろう。新医薬品の特許権が終了した場合，各製

薬会社は，いわゆるジェネリック医薬品として，従来より安価に同一成分の薬品を製造することができるようになる。しかし，新医薬品を製造・販売した企業としては，医薬品開発にかかる莫大な費用を回収するため，より長い間特許権を存続させて製品寿命を延ばし，収益の拡大を図りたいところである。そこで，製薬業界では，①適応症の拡大（効能・効果の拡大），②剤形（用途に合わせて加工された薬品の形状のこと。粉薬，カプセル，錠剤など），③製剤ノウハウ等についても新たに特許を取得することで，後発のジェネリック医薬品を牽制することが行われる。①について取得される特許は用途特許と呼ばれ，たとえば，頭痛を適応症とする医薬品が後にリウマチにも効能があると判明した場合などに，リウマチに対する効能についても用途特許が取得される。また，②剤形が変われば，薬の効用，持続時間等が変化するため，たとえ成分は同じであっても，物質特許とは別個の特許が取得される。以上のように，新医薬品を製造・販売した企業は，物質特許の周辺領域についても特許を取得して，いわゆる特許防衛を適切に行うことが求められる。

2 リスク分析

2.1 ライセンス料の高騰

製薬業界のライセンスにおいては，①新薬研究に莫大なコストがかかること，②契約期間が長期であるため，その間の社会情勢やニーズに変化するという不確定要素が多いこと，③製品化の可能性が必ずしも高くないこと，④特に医薬品開発においては，ライセンサーのライセンスを利用しなければそもそも製品開発に着手できない場合が多いこと，⑤新薬の数が十分ではなく，ライセンスの取得にあたり，製薬会社の競争が激化していること，といった要因により，製薬ライセンス料は高額化が進んでおり，1,000億円を超える取引も散見される。それに伴い，新製薬の売上見込の誤り等による被害も高額になるため，ライセンス契約を締結する際のリスクも高いものとなっている。

2.2 ライセンス料と開発・研究段階

　製薬についてのライセンス料を決定するにあたっては，ライセンスの対象物の開発・研究がいかなる段階にあるのかが重要である。たとえば，人への投与実験の前の段階では，医薬品が製品化に至らないまま治験を終了することになる可能性が極めて高く，ライセンス料は低めに設定される。これに対し，既に人への投与実験に入り，最終的な安全性の確認段階である第3相臨床試験の段階（多数の患者を対象として，既に有効性と安全性を確認された薬剤を対照群として，比較試験を行う）にあるものであれば，製品として販売に至る可能性は高いため，ライセンシーとしてはライセンス契約の締結リスクが低くなり，それに伴い，ライセンス料も高額になる。したがって，製薬ライセンス契約の締結にあたっては，対象物の開発段階を見極め，製品化に至らない可能性も視野に入れながら，ライセンス料が適切，適当な価格であるかを吟味すべきである。

2.3 支払方法

　製薬業界における一般的なライセンス対価の支払い方法としては，次の3種類がある。

- アップフロント料：契約締結の際に支払われる一時金
- マイルストーン料：医薬品開発又は販売開始後の売上高の進捗・到達状況に応じて，所定の開発段階又は販売額に達した際に，その一定の成果に対して支払われる対価
- ランニングロイヤルティ：製品発売後の売上に応じて随時支払われる対価

　製薬のライセンスにおいては上記三つの支払方法が併用されることが多いが，一つあるいは二つの方法だけによる場合もあり，いかなる方法によるかは当事者の合意により定まる。

```
契約締結時         開発段階              販売
   │           │    │    │      │    │    │
アップ         マイル マイル マイル  ロイ  ロイ  ロイ   ...
フロント       ストーン ストーン ストーン ヤル ヤル ヤル
ペイ           ペイ  ペイ  ペイ   ティ ティ ティ
メント         メント メント メント
                                 マイル マイル マイル  ...
                                 ストーン ストーン ストーン
                                 ペイ  ペイ  ペイ
                                 メント メント メント
```

2.4 マイルストーン料

　開発の進捗状況に応じたマイルストーン料を設定した場合, 医薬品を販売する側（ライセンシー側）からすれば, 通常はアップフロント料の額は低めに設定されることが多いため, 初期費用の節約が可能となる。また, ライセンサー側としても, マイルストーン料を進捗状況に応じて設定することで, 開発が中途で頓挫したような場合でも一定の対価を得られる可能性があり, リスクを分散することができる。

　マイルストーン料の設定は, 製品化に至る可能性, 予想売上高といった要素を考慮して決定されるが, 発生する進捗段階をどの時点に設定するかによって, 支払対価の金額, 支払時期は, 大きく異なってくる。したがって, 対価が発生する進捗段階の設定にあたっては, ライセンサーとライセンシー間で十分に協議して, 予想されうる将来の事態を分析し, 互いが納得した合意を慎重に形成した上, いかなる段階でいくらのマイルストーン料を支払うこととするか具体的かつ明確に決定しておく必要がある。

3　関連する法律・許認可など

　製薬ライセンス契約においては, 問題となる関連法規や許認可は多岐にわたるが, 紙面の関係上, ここでは独占禁止法との関係についてのみ言及することとする。

ライセンサーが，ライセンシーに対して，契約終了後一定の期間，競合製品の製造，販売及び取扱の禁止を内容とする契約条項を締結することを求めることがある。このような条項は，独占禁止法上の問題を含んでいる。

かかる条項の適法性について一概に述べることはできないが，ライセンシーに対する契約終了後の拘束が秘密の漏洩を防止するためであるなど，その拘束に合理的な理由があると認められる場合には，独占禁止法上，当然に違法とされることはない。しかし，そのような場合でも，不当に長い期間にわたってライセンシーを拘束したり，ライセンシーにとってより不利益の少ない代替手段が存在するにもかかわらずあえて不利益の多い方法を採用したような場合には，独占禁止法19条に違反する可能性がある。

4　契約書チェックポイント

☞モデル契約書4-3-1

医薬品開発にかかるコストは莫大であるが，製品化に至った場合，収益率が高いため，製薬ライセンス料もこれに伴って極めて高額なものとなっている。他方で，医薬品開発が中止された場合や，製品化後，市販後の調査により副作用が発見された場合など，一旦不利益が生じた際のダメージは，当事者にとって極めて甚大なものとなりうる。したがって，製薬ライセンスの契約条項を策定する際には，マイルストーン料の設定や，副作用が発見された場合の解除権といった製薬ライセンス特有の条項について，細心の注意が必要となる。

以下，物質特許をライセンスする場合の典型的な独占的利用権の付与についてのモデル契約書を示す。

医薬品ライセンス契約書

○○○○株式会社 (以下「甲」という。) と△△△△株式会社 (以下「乙」という。) は, 次のとおり合意する。

第1条 (目的)
　甲は, 乙に対し, 甲発明の物質 [「　　　　　」] に関する特許, ノウハウ, 営業秘密, 情報その他に関して, 次のとおり独占的ライセンスを付与する。

第2条 (定義)
本契約において, 各用語の意味は以下のとおりとする。
(1)「本特許」とは, 甲保有の日本国特許第 [　　　] 号をいう。
(2)「本物質」とは, 本特許の対象となっている化合物の名称 [「　　　　」] をいう。
(3)「承認」とは, 本物質について, 日本国の厚生労働省から, 医薬品, 医療機器等の品質, 有効性及び安全性の確保等に関する法律上の所定の審査の上で医薬品として受けた承認をいう。
(4)「本製品」とは, 本物質を成分とする医薬品であって, 日本国の厚生労働省から承認を受けたものをいう。
(5)「ノウハウ」とは, 日本国の特許法や著作権法で保護されるか否かを問わず, 本製品に関する発明, プロトコル, 実験及び治験結果, その他書類等, 当該物質に関する製造, 使用及び販売に関するあらゆる情報, 技術をいう。
(6)「純売上高」とは, 乙により出荷された本製品の全ての売上高から, 返品分及び割引額を減じた金額をいう。

第3条 (実施権の許諾)
1　甲は, 乙に対し, 本特許, ノウハウ, 営業秘密, 情報その他に基づく本製品の製造, 使用, 販売の独占的実施権を許諾する。
2　乙は, 第三者に対して, 第1項の独占的実施権を再許諾することができるものとする。
3　乙は, 第2項の再許諾にあたっては, 事前に甲に対し書面による報告をしなければならない。

第4条 (対価支払の方法)
　乙は, 甲に対して, 前条の権利の対価として, 以下のとおり支払う。

(1) [　　　] 年 [　] 月 [　] 日限り, アップフロント料として, [　　　] 円を支払う。
  (2) 別紙1 (省略) 記載のとおり, マイルストーン料を支払う。
  (3) ランニングロイヤルティとして, 本製品の純売上高が [　　　] 円以下である場合には, [　　] パーセントを支払うものとし, 本製品の純売上高が [　　　] 円を超えた場合には, [　　] パーセントを支払う。

第5条 (ロイヤルティの支払方法)
1　乙は, 甲に対し, 前条第3項に定めるロイヤルティを, 別紙2 (省略) に定める販売期日の最終日から [　　] 日以内に支払うものとする。
2　乙は, 前項の支払いとともに, 甲に対し, 本製品の全ての売上高, 返品分及び割引額を書面により報告するものとする。

第6条 (情報の開示)
1　甲は, 本契約締結の後, [　　　] 日以内に, 乙に対し, 別紙3 (省略) 記載の情報を開示する。
2　甲及び乙は, 本契約に基づく販売その他の遂行のために, 相手方の要求に応じて, 各自の保有する情報及び技術を提供する。

第7条 (秘密保持)
1　甲及び乙は, 前条により得られた相手方の情報 (複写物, 電磁的記録によるものも含む。) を秘密に保持し, 相手方の事前の書面による同意を得ることなく, これを第三者に開示してはならない。但し, 以下の各号に該当する情報についてはこの限りではない。
  (1) 開示の際に, 被開示当事者が既に知っていた情報
  (2) 開示の前又は後に, 被開示当事者の故意又は過失によらず公知の事実になった情報
  (3) 被開示当事者が, 開示情報によらず独自に開発した情報
  (4) 被開示当事者が, 守秘義務を負わない第三者から正当に取得した情報
  (5) 監督権限を有する官庁, 又は, 裁判所の命令により, 開示が命じられた情報, その他法令に基づき開示が義務付けられた情報
2　前項第5号により情報を開示する場合には, 開示当事者は, 相手方に対し, 遅滞なく開示の時期及び開示する情報の内容を書面により通知するものとする。

第8条 (特許)
1　甲は, 自己の費用負担において本特許を保持し, 乙は, これに協力する。
2　甲は, 乙による事前の承諾なく, 本特許を放棄しない。

3 甲及び乙の合意のうえ,甲の特許の放棄を決定した場合,乙は,甲の特許を引き継ぐか否かを自ら決定することができる。

第9条(特許侵害)

1 両当事者は,本特許の第三者による侵害に気付いた場合,直ちに相手方に対しこれを通知し,甲乙協議の上,当該侵害に対して迅速に措置を講ずる。
2 前条の規定に関わらず,乙は,本特許侵害に対して,単独で必要な措置を講ずることができる。
3 本特許が,第三者の特許その他の権利を侵害するとして法的手続がとられた場合,各当事者は,直ちに相手方に対しこれを通知し,甲乙協議の上,協力して防御に努めるものとする。
4 前3項の代理人その他の費用は,各当事者がそれぞれ自己の分を負担するものとする。

第10条(広報)

甲及び乙は,本契約の発表について各自協力し,別紙4(省略)に定める日に共同して本契約について発表を行う。

第11条(契約の有効期間)

本契約は,本契約締結日に効力を生じ,次条に定める事由により解除がなされない限り,[　　　]年[　　]月[　　]日まで存続する。

第12条(契約の解除)

1 甲又は乙の一方に本契約に基づく債務の不履行がある場合,相手方当事者は,相当期間を定めて催告をし,相当期間内に債務の履行の提供がなされない場合には,直ちに契約を解除することができる。
2 各当事者は,以下の各号に定める事項が認められる場合には,催告をすることなく,直ちに本件契約を解除することができるものとする。
 (1) 本製品による副作用が報告され,乙が本契約の継続を著しく困難であると判断した場合
 (2) 相手方において,手形又は小切手の不渡り,破産,民事再生,特別清算,会社更生の申請あるいは申立があった場合

第13条(存続)

本契約,第7条及び第14条の各規定は,本契約終了後も存続する。

第14条(仲裁)
　甲及び乙の間に紛争が生じた場合,本契約上の秘密を保持するため,日本商事仲裁協会東京事務所における仲裁により解決するものとする。

　本契約の締結を証するため,本契約書2通を作成し,甲及び乙がそれぞれ1通を保管する。

　　　　年　　　月　　　日

　　　　　　　　　　　　　(甲)　住所
　　　　　　　　　　　　　　　　社名　　　　　　　　　㊞

　　　　　　　　　　　　　(乙)　住所
　　　　　　　　　　　　　　　　社名　　　　　　　　　㊞

第4章
ロイヤルティシェアリング契約

吉川 達夫● *Tatsuo Yoshikawa*

1　ビジネスモデル

　ロイヤルティシェアリング契約が作成されるケースはいくつかある。まず，共同開発契約に基づいて，共同発明者によって発明がなされた後，発明の実施（商業商品化ならびに販売）を行う場合である。共同開発は，開発者に資金がない場合や，開発者のみでは商業化することができない場合に複数の事業者で開発を行うことである。特許やノウハウは共有とし（持分割合やコスト・リスク負担割合は開発時に取り決めることが望ましい），販売方法や第三者へのライセンスを認めるかを規定する。また，単独で発明をした場合においても，資金がないといった理由で発明を商品化する資金提供事業者と共同で発明を商品化する場合もある。

　共同開発が成功した後のライセンス条件については，成功するかどうかも分からないので，実施時に取り決めないことがあり，成功時に改めて交渉することになる。

2　リスク分析

　ロイヤルティシェアリング契約を締結したとしても，開発できなかったり，期待した生産や販売が見込めない場合，資本が回収できないおそれがある。

　共同研究においては，成果物の帰属についてもめることが多い。したがって，当初から権利割合だけは取決めを行っていれば，開発終了後に取り決める必要はない。一方，研究者の成果によって開発が進んだ場合などにおいて，成功報酬的な意味を含めて改めて取決めを行う場合もありうる。共同研究開発後の利用期間・利用期間終了後の取扱い，守秘義務といった条項を共

同研究契約との整合性を確認しておきたい。

3 関連する法律・許認可など

　特許法では共有についての規定に留意する（特許法73条）。共有の場合は，他の共有者の同意がなければ譲渡や専用実施権の設定，通常実施権の許諾はできないが，特許発明の実施については，契約で特段の定めをした場合を除き，他の共有者の同意を得ずとも行うことができる。

4 契約書チェックポイント

☞ モデル契約書 4-4-1

　以下の契約は，発明者とある研究機関との間の契約であるが，本契約に先立って，当事者は共同開発契約を締結し，発明を行ったこと，研究機関が発明者に両者が合意するロイヤルティを支払うことを条件に発明者の発明に関する権利を研究機関に譲渡したことを契約書の前文（Recitals）で経緯として記載している。つまり，発明から生じる利益の配分及び発明の利用にかかわるコスト負担等について取決めをしていなかったことから，本契約においてこれを取り決めている。なお，本契約に規定のない事項は基本契約の条項を準用することになっているため，本契約はシンプルとなっている。

- ライセンス収入の定義（第1.2条）
　発明者と機関との共同開発によってなされた本発明について，機関が実施して取得したライセンス収入から費用を差し引いた額について「ライセンス収入」と定義した。
- 登録（第2条）
　本発明の登録および登録維持に関する費用は機関が負担する。
- ライセンス条件（第3.1条）
　機関がライセンスの商用化を行う。機関と発明者がライセンサーとなってライセンスされるが，ライセンシーを見つけたり，交渉することは機関によって行われる。

- **ライセンス収入の取得割合（第3.2条）**

  ライセンス収入の取得割合を取り決める。なお、定義において登録及び登録を維持するための防御等にかかるコストをライセンス収入から差し引くことができるので、発明者の取り分が減ることに注意が必要である。

- **侵害（第4条）**

  侵害を発見し、発明者と機関が防御法について合意した場合、ライセンス収入から防御費用を拠出して防御することになる。もし合意できない場合は、防御する者がそのコストを負担し、損害賠償金など侵害者から得た金銭は防御者のものとなる。

- **期間（第5条）**

  期間は、発明の権利が消滅する日あるいはライセンス契約の終了日のいずれか遅い方である。なお、本契約の有効期間内に原契約が終了することも考えられる。一方、第6条において本契約に定めなき事項は、原契約の条件を適用とあるが、原契約終了によって本契約終了を取り決めてはいない。つまり、原契約終了によっても本契約で原契約の条項を適用させることはおかしいとまでは言えない。

- **共同研究・開発契約の適用（第6条）**

  本契約に定めがない事項（一般条項を含む）は、研究開発を実施するにあたって作成したCo-Research & Develop Agreement（基本契約／Basic Agreement）を適用することにしている。したがって、変更することが必要な条項以外の一般条項は規定されないことになる。

  基本契約と本契約の条項が矛盾した場合の取決めとして、本契約が基本契約に優先して適用される場合の規定は以下のとおりである。

> In case any conflicts arise between Basic Agreement and this Agreement, the terms of this Agreement supersedes.

ROYALTY SHARING AGREEMENT

THIS Agreement is between Mr. [   ] ("Inventor") and XXXX Institution ("Institution").

RECITALS:

A. Inventor and Institution entered into Co-Research & Develop Agreement dated [   ], 2020, whereby Inventor and Institution agreed to develop certain technology related to Agriculture Machine ("Basic Agreement");

B. Inventor and Institution had developed Invention (as defined later) using the funds provided by Institution;

C. Under Basic Agreement, Inventor agreed to assign all right, title and interest in invention to Institution subject to the payment of mutually agreed royalty and whereby Inventor agrees to assist Institution in preparing, filing, prosecuting, defending, and maintaining patent applications and patents related to Invention throughout the world; and

D. The Parties agree to determine how royalty generated from Invention to be shared between the Parties.

NOW, THEREFORE, in consideration of the mutual covenants and premises herein contained, the Parties agree as follows:

1. **Definitions**

    1.1 Invention means all discoveries, know-how, information, and inventions in [   ] created by Inventor and Institution pursuant to Basic Agreement.

    1.2 License Revenue means the transfer of value from third parties to Institution in consideration of granted licenses or other rights to Invention which may include, but is not limited to, royalties, fees, payments, and other sums minus all the cost in order to maintain the Registration of Invention as defined in Article 2.

2. **Registration**

    Institution is responsible for preparing, filing, prosecuting, defending, and maintaining rights associated with Invention. Institution shall pay such costs associated with expenses for the above which will be refunded to Institution through License Revenue.

3. License

3.1 Institution agrees to commercialize, utilize and exploit the Invention. All licenses with respect to Invention will be made jointly in the name of and executed by both Institution and Inventor and will be negotiated and administered by Institution.

3.2 Institution will be solely responsible for calculating and distributing License Revenue. All payments will be in U.S. Dollars. Institution and Inventor agree to divide License Revenue as follows:

> Institution : [   ] %
> Inventor : [   ] %

3.3 Inventor will have the right to hire an independent, certified public accountant reasonably acceptable to Institution to audit financial records relating to License Revenue at its own expense. Such audits may be exercised during normal business hours upon at least 30 days prior written notice to Institution. In the event any differences may be found in License Revenue, the cost for the audit will be borne by Institution.

4. Infringement

4.1 If either party becomes aware of potential infringement to Invention, such party will notify the other party as soon as possible in order to discuss and determine how best to avoid infringement. In case parties agree to make an action, the reasonable expenses and disbursements paid in connection with such action will be considered as part of the cost of License Revenue.

4.2 If the parties cannot agree to commence such an action, then either Party will have the right to prosecute the patent infringement action under the condition that such Party will bear all the expense and be entitled to retain all monies received from such action.

5. Term

The term of this Agreement is from the date of this Agreement until any registered rights to Invention expire, or the date any valid license agreement for Invention with any third parties terminates, whichever comes later.

6. General

Except as otherwise provided in this Agreement, the terms and conditions of Basic Agreement shall apply.

IN WITNESS WHEREOF, parties hereto have caused their duly authorized representatives to execute this Agreement.

By_____
Name :
Title :
Date :

By_____
Name :
Title :
Date :

第5章
クロスライセンス契約

山浦 勝男● *Katsuo Yamaura*

1　ビジネスモデル

　クロスライセンスとは，互いの技術をライセンスして補完しうる関係にある場合に利用される方式である。企業間においてそれぞれの得意分野の技術を許諾し相互補完しあうことで，市場における技術競争力を高めることを目的として締結される契約で，クロスライセンス契約における相互の技術的価値は等しいといわれている。オーソドックスなクロスライセンスは，互いに1件ずつ特許を許諾しあうものである。また，最近はこのような方法からさらに発展させ，ある特定の製品に関して複数の特許を包括的に許諾しあうこともある。また，特殊な形態として，知的財産権訴訟における「和解案」としてのクロスライセンス契約がある。これは，その訴訟自体を速やかに終わらせ和解契約を結ぶと同時に，その知的財産権に関してクロスライセンスする方法である。

2　リスク分析

　クロスライセンスにおける条件については，ライセンスする自社の知的財産権とライセンスを受ける他社の知的財産権を比較して，どのようなものが適切かを検討すべきである。「クロスライセンス」というと特殊なことのように思われるが，ライセンサーとライセンシー双方の立場に立って，どのようなライセンスを相互に実施するのが望ましいかを組み立てていくべきである。具体的には，相互の実施許諾の範囲や期間，実施料，技術支援の方法，態様といったことである。また，相互実施許諾中の改良技術の扱いなどは契約終了時によく紛争のもととなるので注意を要する。さらに，知的財産権の侵害／被侵害の立場からどのようにその侵害／被侵害の訴訟に対応するかについ

て事前に決めておくことも重要だが，第三者からの知的財産権の侵害の可能性について事前に調査しておくことが一層重要となる。

3 関連する法律・許認可など

3.1 独占禁止法（「私的独占の禁止及び公正取引の確保に関する法律」）

　クロスライセンスを検討するに際しては，まずそのクロスライセンスが独占禁止法において「不当な取引制限」に該当するかどうかを確認する必要がある。公正取引委員会は，平成28（2016）年に「知的財産の利用に関する独占禁止法上の指針」（以下，「指針（ガイドライン）」という）を示し[1]，クロスライセンスが独占禁止法に定める「不当な取引制限」に抵触する可能性について，「関与する事業者が少数であっても，それらの事業者が一定の製品市場において占める合算シェアが高い場合に，当該製品の対価，数量，供給先等について共同で取り決める行為や他の事業者へのライセンスを行わないことを共同で取り決める行為」が「当該製品の取引分野における競争を実質的に制限する場合には，不当な取引制限に該当」し，独禁法違反になると説明している。また，公取委は，「技術の利用範囲としてそれぞれが当該技術を用いて行う事業活動の範囲を共同して取り決める行為」についても，「技術又は製品の取引分野における競争を実質的に制限する場合には，不当な取引制限に該当する」とし，クロスライセンスにおける独占禁止法違反の例示を行っている。

　このように，特に一定の市場分野における競合会社間のクロスライセンスの諸条件が競争を実質的に制限する場合には独禁法違反となることから，寡占市場状態の会社間のクロスライセンス，又は寡占市場ではないが市場内で複数の強者がクロスライセンスする場合には，当該クロスライセンス自体が独占禁止法に抵触するか否か，事前に当局に確認するべきである。

---

[1] 日本の規制については，以下のウェブサイトを参照。
https://www.jftc.go.jp/dk/guideline/unyoukijun/chitekizaisan_files/chitekizaisangl.pdf

3.2 各国の競争法

　グローバル経済の深化とともに，海外の企業とのクロスライセンスも多くなっている。それゆえ，国際的なクロスライセンスを実施しようとする企業は，各国の独占禁止法または競争法，さらにその規則について調査し，必要に応じて各国の当局と協議しながらクロスライセンスできるかを検討すべきである。

　なお，代表的な例として，米国及びEUの独占禁止法当局のクロスライセンスに対する法律とガイドラインを挙げておく。米国でのクロスライセンスの規制は2017年に米国司法省と連邦取引委員会が示したガイドライン"Antitrust Guidelines for the Licensing of Intellectual Property"の"5.5 Cross-Licensing and Pooling Arrangements"において詳しく述べている[2]。他方，EUでは，EU競争法当局が示したガイドライン"Guidelines on the application of Article 101 of the Treaty on the Functioning of the European Union to technology transfer agreements"で詳細に規定している[3]。なおEUのガイドラインでは，米国のようにクロスライセンスを独立した項目として別途規制を設けることなく，ライセンスの各条件においてクロスライセンスについて触れているため，丹念に読み解く必要がある。

4　契約書チェックポイント

> モデル契約書4-5-1

　このクロスライセンス契約では，互いが持つ知的財産権のうち特許・ノウハウをクロスライセンス方式である。なお，「クロスライセンスする」との取決め以外は，ほぼ特許・ノウハウライセンス契約で決める条件と同じである。

- 前文

　　ここでは，今回クロスライセンスを契約する相互の現状，背景や意図を記

---

2) 米国の規制については，以下のウェブサイトを参照。
　https://www.justice.gov/atr/IPguidelines/download
3) EUの規制については，以下のウェブサイトを参照。
　http://ec.europa.eu/competition/antitrust/legislation/transfer.html

載し，契約発効日を契約したその日と簡単に定めている。ただ，国によってはライセンス契約を結ぶ旨を主務官庁に届け出ることが決められている場合や，契約書の署名日を発効日とせず，ある契約条件を満たした日を発効日とする場合があるため，こうしたケースでは契約発効条件を定めておく必要がある。

- 定義（第1条）

定義条項は，その契約上において高い頻度で使用され，また重要な語句について，相互の誤解を避けるために設けている。このクロスライセンスでは，当然ではあるがクロスライセンスの対象となる製品，特許について規定する。特許については，出願中のものや登録済みのものもあろう。それらについてこの契約書では詳細に規定されていないことから，クロスライセンスする特許については明確に特許番号を記載すべきであろう。また，特許にノウハウが付属するとしてノウハウもクロスライセンスの対象となっている。よって，ノウハウの範囲についても誤解を避けるべく範囲を確定すべきである。ただし，ノウハウのライセンスについては各社で対応が異なるため，特許のみとするか，ノウハウを含むライセンスとするかは事業戦略を考えて判断すべきである。さらに，ロイヤルティについては「正味販売価格（Net Sales）」という語句に表れているようにランニングロイヤルティとしている。この計算式については，どの段階の利益に対してロイヤルティを当てはめるかを考えるべきである。

- クロスライセンス（第2条）

それぞれがそれぞれの地域においてそれぞれの製品，技術に関する技術をライセンスする内容である。排他的なクロスライセンスであり，自己実施も否定されていることから，その点については自己実施については認めるのか検討を要しよう。

- 技術情報（第3条）

この条項は実務的な内容であり，それぞれ提供する技術，製品に合わせて付属書において具体的な内容を盛り込むべきである。

- 技術支援（第4条）

要請の都度，一方に対して技術者を派遣する内容である。費用について

は要請側負担としている。これも実務的な内容であることから，技術者の派遣については，製品，技術など事業の態様によって決めるべきである。

- 研修生派遣（第5条）

  この条項では費用はすべてライセンシー側が負担する内容であるが，研修生派遣を受け入れるライセンサー側にとっても受入準備など負担となる内容である。研修生受入条件については，実務に即して詳細に取り決めておくべきである。

- ロイヤルティ（第6条）

  ロイヤルティの支払いは，この契約ではランニングロイヤルティ方式としている。当然，両者が合意すれば，ランニングロイヤルティではなく，イニシャルロイヤルティのみという条件もあるだろうし，イニシャルロイヤルティとランニングロイヤルティの組合せというのもあるだろう。なお，ここではランニングロイヤルティを支払うとだけしており，支払うタイミングについては半期ごとか売上都度かについて明言していない。この支払時期に関しては実務的な内容ゆえ，互いに支払時期（都度払い，毎月払い，四半期払いなど）を決めておくべきであろう。支払遅延については18％の遅延利息を設定しているが，各国の法制度の利息の上限を確認することを勧める[4]。さらに，ロイヤルティの税負担については，ライセンサーに代わってライセンシーが負担している。ライセンシー国でロイヤルティについて源泉徴収されるため，そのことをライセンサーに伝え，支払額と受取額について差額が生じないようにすべきである。

- 報告及び記録（第7条）

  ここでは，ライセンシーが特許やノウハウをライセンスした技術の実施料について記録し，毎年報告するとともにその帳簿を保管するよう義務づけている。また，その帳簿について監査する権利をライセンサーに与えている。

- 特許侵害（第8条）

  特許侵害については，ライセンシーが発見次第，ライセンサーに通知して

---

[4] 令和2（2020）年4月1日からの民法の一部を改正する法律（債権法改正）施行に伴い，法定利率が民事率5％，商事率6％から年3％（改正法404条）に統一され，3年ごとの見直しを行うこととなった。当事者同士で合意しないとこの法定利率が適用されるので留意すべきである。

協力して第三者侵害を止めさせるようにしている。ただ,これでは十分でなく,より詳細な規定が必要と判断するのであれば,特許侵害を発見した場合の具体的な手続を規定すべきである。いずれにしても,第三者の特許侵害についてはそれぞれどのような立ち位置にあるかで条件が千差万別であることから,しっかりとクロスライセンスのそれぞれの立ち位置を確認して条件づけすべきであろう。

- 秘密情報(第9条)

秘密情報に関する一般的な内容,すなわち秘密情報管理(Need to Knowベースの管理)や,あえて秘密情報を開示せざるを得ない状況での開示方法及び契約終了後の秘密保持期間を定めている。秘密保持期間については,技術の発展度合などにより判断すべきであろう。

- 契約期間(第10条)

契約期間については契約発効日から(ブランク)年としている。事業態様に合わせて記入すべきであろう。自動更新条項についてもこの契約では採用しているが,その可否についても併せて検討すべきである。

- 契約終了(第11条)

契約違反時の終了条件などを定めた。なお,契約終了後の権利義務についても規定している。

- 一般条項(第12条)

いわゆる一般条項で,準拠法,仲裁,不可抗力,完全条項,権利不放棄,通知方法などを定めている。なお,ここではクロスライセンスに関する技術の権原や特許の保証について極めて限定的に規定している(第3項,第11項及び第12項)。よって,その保証について互いに合意する保証条件があれば,明確に保証内容を規定すべきであろう。ただし,保証する場合には,その内容を曖昧にすることはできない。後の紛争を回避する意味からも,保証内容は具体的な範囲などを決めることで限定すべきである。

CROSS-LICENSE AGREEMENT

THIS Cross-License Agreement (Agreement), made and entered into this [   ] day of [month], [year] (Effective Date) by and between:

ABC Company Ltd., a corporation organized under the laws of Japan (hereinafter called ABC) having its principle office at [   ] , and

XYZ Company Ltd., corporation organized under the laws of [   ] (hereinafter called XYZ), having its principle office at [   ]

Witnesseth that:

Whereas, ABC is engaged in the manufacture and sale of ABC products developed by ABC and possesses patents and know-how for manufacturing such products, and has the right to grant licenses thereon (as hereinafter defined);

Whereas, XYZ is engaged in the manufacture and sale of XYZ products developed by XYZ and possesses patents and know-how for manufacturing such products, and has the right to grant licenses thereon (as hereinafter defined);

Whereas, both parties recognize the need to have technology, which has already been proven and utilized by the other party and wish to license their respective technologies to each other in order to benefit directly therefrom, without first having to develop their own technology and will thus be able to dedicate their efforts to growth and expansion; and

Whereas, both parties are willing to grand each other licenses to use certain of their respective patents, know-how and other technical information in the manufacture, assembly, sale and other disposition of their respective products.

Now, therefore, in consideration of the premises and the mutual covenants set forth herein, ABC and XYZ hereby agree to the following:

Article I DEFINITIONS

For the purpose of this Agreement, the following definitions shall apply:
(a) "ABC Licensed Products" shall mean those products listed in Schedule A.
(b) "XYZ Licensed Products" shall mean those products listed in Schedule B.
(c) "Products" shall mean either ABC Licensed Products or XYZ Licensed

Products.
(d) "ABC Licensed Patent" shall mean patents listed in Schedule C.
(e) "XYZ Licensed Patent" shall mean patents listed in Schedule D.
(f) "Licensed Patent" shall mean ABC Patent and XYZ Patent.
(g) "Know-how" shall mean any and all technical data, information, materials, trade secrets, technology, formulas, processes, and knowledge, tangible or intangible, necessary for design, manufacture, testing and use of ABC Products or XYZ Products, possessed and controlled by ABC or XYZ respectively, as of the date of this Agreement.
(h) "Licensor" shall mean ABC with respect to the ABC-Products or XYZ with respect to XYZ Products.
(i) "Licensee" shall mean ABC with respect to the XYZ Products or XYZ with respect to ABC-Products.
(j) "ABC Territory" shall mean [   ] countries listed in Schedule E.
(k) "XYZ Territory" shall mean [   ] countries listed in Schedule F.
(l) "Net Sales" shall mean the gross amount invoiced on all sales of the Products, less (a) discounts actually allowed in the ordinary course of business, (b) credits for claims, actually given, (c) transportation and insurance expenses, (d) sales taxes or governmental charges actually paid in connection with the sale (but excluding what is commonly known as income taxes), and (e) brokerage, commissions and other fees paid to others for or in connection with sale of Products. For purpose of determining Net Sales a sale shall be deemed to have occurred as of the date of shipment applicable to such sale.
(n) "Confidential Information" shall mean (i) all ideas and information of any kind, including, without limitation, Know-how, technology, technical data, products, software, works of authorship, assets, operations, contractual relationships, business plans or any other aspect of either party's business, in written, other tangible or electronic form provided by one party (the "Disclosing party") to the other party ("the Receiving party") which is labeled by the disclosing party as "confidential", "proprietary" or with a legend of similar import. Confidential Information shall not, however, include any information that (a) lawfully in the Receiving party's possession, with no restriction on use or disclosure, prior to its acquisition from the Disclosing party; (b) received in good faith by the Receiving party, with no restrictions on use or disclosure, from a third party not subject to any confidential obligation to the Disclosing party; (c) now or later becomes publicly known through no breach

of confidential obligation by the Receiving party; (d) released by the Disclosing party to any other person, firm or entity (including, without limitation, governmental agencies or bureaus) without restriction on use or disclosure; or (e) independently developed by or for the Receiving party without any reliance on or use of Confidential Information of the Disclosing party. The foregoing exceptions shall not apply to software in any form.

ARTICLE II CROSS LICENSE

2.1 Subject to the terms and conditions of the Agreement and on the Effective Date, ABC hereby grants to XYZ an exclusive (exclusive even as to ABC), non-assignable and non-transferable license, without the right to sublicense, to manufacture, use, market and sell ABC Licensed Products under ABC Licensed Patents and Know-how in the ABC Territory.

2.2 Subject to the terms and conditions of the Agreement and on the Effective Date, XYZ hereby grants to ABC an exclusive (exclusive even as to XYZ), non-assignable and non-transferable license, without the right to sublicense, to manufacture, use, market and sell XYZ Licensed Products under XYZ Licensed Patents and Know-how in the XYZ Territory.

ARTICLE III TECHNICAL INFORMATION

3.1 Within ninety (90) days of the Effective Date of this Agreement, ABC shall furnish XYZ with Know-how with respect to ABC Products including but not limited to the categories listed in Schedule A as appropriate or necessary to fulfill the terms and conditions of this Agreement.

3.2 Within ninety (90) days of the Effective Date of this Agreement, XYZ shall furnish ABC with Know-how with respect to XYZ Products including but not limited to the categories listed in Schedule B as appropriate or necessary to fulfill the terms and conditions of this Agreement.

ARTICLE IV TECHNICAL ASSITANCE

From time to time, Licensee may request technical assistance and training from Licensor in connection with acquisition of Licensor's Know-how, in which event Licensor shall make available a reasonable number of its engineers to visit Licensee's facilities and premises at reasonable times for purpose of rendering the requested technical assistance and trainings. Licensee shall bear all expenses incurred Licensor in dispatching engineers, including but not limited to air fares, local transportation fees, daily allowances, lodging fees, medical expenses, and insurance premiums, as necessary.

ARTICLE V DISPATCHING TRAINEE

Licensee shall give Licensor thirty (30) days prior notice before dispatching trainees to Licensor, stating the number of trainees, the time of arrival, the period of their stay, names, backgrounds, experiences, and expected duties at Licensor's place of business. Licensor shall promptly advise Licensee regarding whether the training is convenient and acceptable and if not, shall propose an alternative arrangement. Licensee shall bear all expenses during the period such trainees are away including travel and living expenses incurred in sending its trainees to Licensor.

ARTICLE VI ROYALTY

6.1 Licensee shall pay Licensor a running royalty (the "Royalty") based on all Products sold by or on behalf of Licensee during the term of this Agreement, the Royalty being equivalent to [(%)] of the Net Sales for all such quantities of the Products sold. The Royalty on each sale of the Products shall be due and payable by Licensee within thirty (30) days following payment for the Products by the purchaser of such Products, but in any event no later than ninety (90) days after delivery of such Products to such purchaser, whether or not the purchaser has paid to Licensee.

6.2 All sums payable by Licensee hereunder shall be paid to Licensor in the currency of the [   ] or in U.S. dollars.

6.3 In the event Royalties are not paid as specified herein, then a compound interest of eighteen percent (18%) shall be due in addition to the Royalties accrued for the period of default.

6.4 Licensee shall withhold from any Royalties due to Licensor hereunder the appropriate amount of income taxes to be imposed in each country and pay such taxes on behalf of Licensor, and submit to Licensor an official receipt showing the payment thereof.

ARTICLE VII REPORTS, BOOK AND RECORDS

7.1 All payments of Royalties hereunder shall be accompanied by a statement from Licensee showing details of all sales of the Products during the period to which the Royalty payments apply, in such format and containing such information as prescribed by Licensor from time to time. By January 31st of each year during the term of this Agreement, Licensee shall deliver to Licensor the certificate of an independent auditor certifying as to the amount of actual total sales of the Products made by Licensee during the previous calendar year.

7.2 During the term of this Agreement, and for a period of two (2) years thereafter, Licensee agrees to keep sufficiently detailed records of the Products manufactured and sold by Licensee to permit verification of the reports and payments made or to be made by Licensor by Licensee hereunder.

7.3 Licensor shall have the right, through its authorized representatives, during normal business hours and with the full cooperation of Licensee, to have free access to the Licensee's offices, files, books of account and other records for the purpose of verifying and auditing the reports and royalties due to Licensor. The cost of such inspection, examination or audit shall be borne by Licensor, unless such inspection, examination or audit reflects a discrepancy of five percent (5%) or more in the Royalty payments reported due by Licensee and the actual Royalty payments due. In the event of such discrepancy, Licensee shall immediately pay the unremitted Royalty payments due to Licensor and reimburse Licensor for all of its costs, including the time spent by Licensor's employees at market rates, incurred in connection with such inspections, examinations and audits.

ARTICLE VIII PATENT INFRINGEMENT

8.1 Each party agrees neither to do nor to permit any act which may in any way jeopardize or be detrimental to the validity of the other party's Licensed Patent licensed to such party hereunder.

8.2 If Licensee becomes aware of any infringement, misuse or misappropriation of any Licensed Patent hereunder, Licensee shall notify Licensor with a commercially reasonable period of time and shall cooperate reasonably with Licensor, at Licensor's request and expense, to terminate or remedy such infringement, misuse or misappropriation.

ARTICLE IX CONFIDENTIAL INFORMATION

9.1 The Confidential Information of the Disclosing party may be used by the Receiving party only for the performance of its obligations and the exercise of its rights hereunder and may only be disclosed to those employees, subcontractors or agents of the Receiving party who have a need to know in order so to perform or exercise. Except and to the extent set forth herein, the Receiving party may not disclose Confidential Information of the Disclosing party to any other person, entity or the public without the prior written consent of the Disclosing party; provided, however, that such Confidential Information may be disclosed by the Receiving party without the necessity of prior written consent to the Receiving party's employees, subcontractors or consultants who require access to such Confidential Information to perform the Receiving party's obligations or to exercise its rights hereunder; provided, however, such persons have entered into written agreements which contain obligations of nondisclosure and nonuse no less restrictive than set forth herein, which agreements shall be enforceable by the Disclosing party.

9.2 If a Receiving party receives a request to disclose any Confidential Information of the Disclosing party (whether pursuant to a valid and effective subpoena, an order issued by a court or other governmental authority of competent jurisdiction or otherwise) on advice of legal counsel that disclosure is required under applicable law, the Receiving party agrees that, prior to disclosing any Confidential Information of the Disclosing party, it shall (i) notify the Disclosing party of the existence and terms of such request or advice, (ii) cooperate with the Disclosing party in taking legally available steps to resist or narrow any such request or to otherwise eliminate the need for such disclosure at the Disclosing party's sole expense, if requested to do so by the Disclosing party, and (iii) if disclosure is required, it shall be the obligation of the Disclosing party to use its best efforts to obtain a protective order or other reliable assurance that confidential treatment shall be afforded to such portion of the Confidential Information of the Disclosing party as is required to be disclosed.

9.3 The obligation of nondisclosure and nonuse with respect to Confidential Information of the Disclosing party shall survive and continue for a period of [(   )] years after the Effective Date; provided, however, that the obligations of non-disclosure and non-use shall continue in perpetuity for software in any form.

ARTICLE X TERM

This Agreement shall come into force and effect from the Effective Date, and, unless sooner terminated as provided herein, shall remain in full force for [( )] years from the Effective Date of this Agreement. Thereafter, this Agreement shall be automatically renewed on a [( )] years basis unless either party gives a written notice to the other party at least [( )] months prior to the expiration date of this Agreement or renewal thereof.

ARTICLE XI TERMINATION

11.1 In case either party should breach or default in the effective performance of any of the terms, conditions, covenants or agreements contained in this Agreement, unless otherwise provided for in this Agreement, the other party may give to such breaching or defaulting party written notice of such breach or default, and if such breaching or defaulting party does not effect an adequate cure thereof within [( )] days after the date of dispatch of said notice, all rights and license granted hereunder to such breaching or defaulting party shall be terminated at the option of the complaining party by dispatch of written notice to that effect to such party within [( )] days from the expiration of said [( )] days period. Provided, however, that in the event of such termination for breach or default by either party, all sums shall become immediately due and payable, and all rights and license granted hereunder to the complaining party shall remain in effect during the life of this Agreement.

11.2 Either party shall have an absolute right to forthwith terminate this Agreement or the license granted to the other party, in the event of the insolvency of the other party, or any assignment for the benefit of creditors of the other party, or the voluntary or involuntary filing of a petition, order or other decree in bankruptcy by or against the other party, or the commencement of any proceedings, under court supervision or otherwise, for the liquidation of, reorganization of, or the composition, extension, arrangement or readjustment of the obligations of the other party.

11.3 For [( )] years after the termination of this Agreement or the termination of any right and license granted herein, if such termination is caused by such breach or default or any event of either party as set forth in the paragraph 1 or 2 of this Article, such party may not grant to any person or company any license with respect to Products.

ARTICLE XII Miscellaneous

12.1 This Agreement shall be constructed in accordance with the laws of the [　　　　], without reference to its conflicts of laws principles.

12.2 All disputes, controversies or differences which may arise between the parties hereto, out of or in relation to or in connection with this Agreement shall be finally settled by arbitration, in accordance with the Commercial Arbitration Rules of The Japan Commercial Arbitration Association. The place of the arbitration shall be in Tokyo, Japan.

12.3 No representations or warranty is made by Licensor that the Licensed Patent manufactured, used, sold or leased under the Agreement is or will be free of claims of infringement of patent rights of any other person or persons. Licensor warrants that it has title to the Licensed Patent from the inventors.

12.4 All notices or other communications to be given hereunder shall be in writing and delivered either by telecopy or by next or second-day courier, courier charges prepaid, and addressed to the appropriate party as set forth below.

If to ABC : [　　　　]
If to XYZ : [　　　　]

Notices delivered personally shall be effective upon delivery and notices delivered by private courier shall be effective upon their receipt by the party to whom they are addressed.

12.5 If any provision of this Agreement shall be held illegal or unenforceable, that provision shall be limited or eliminated to the minimum extent necessary so that this Agreement shall otherwise remain in full force and effect and be enforceable. This Agreement has been negotiated between the parties and neither party shall be deemed the "drafter" for purposes of the construction and interpretation of this Agreement. The captions used in this Agreement are included for convenience of reference only and shall be ignored in the construction and interpretation of this Agreement.

12.6 A waiver by either party of its rights hereunder shall not be binding unless contained in a writing signed by an authorized representative of the party waiving its rights, and such waiver shall not be construed as a waiver of any other rights hereunder. The non-enforcement or waiver of any provision on one occasion shall not constitute a waiver of such provision on any other occasion unless expressly so agreed in writing.

12.7 Each party hereto shall be and remain an independent contractor, and nothing herein shall be deemed to constitute the parties as partners. Neither party shall have any authority to act, or attempt to act, or represent itself, directly or by implication, as an agent of the other or in any manner assume or create, or attempt to assume or create, any obligation on behalf of or in the name of the other, nor shall either be deemed the agent or employee of the other.

12.8 This Agreement constitutes the entire agreement between the parties hereto concerning the subject matter hereof, and no prior or contemporaneous oral or written communication shall be a part of the parties' agreement. This Agreement may not be modified except by a writing signed by an authorized representative of each party.

12.9 Licensee agrees that Licensee may not use in any way the name of Licensor or any logotypes or symbols associated with Licensor or the names of any researchers without the express written permission of Licensor.

12.10 None of the parties hereto shall be liable in damages or have the right to cancel for any default in performing hereunder if such delay or default is caused by conditions beyond its control, including but not limited to Acts of Gods, Government or other legal restrictions, continuing domestic or international problems such as wars or insurrections, strikes, fires, floods, work stoppages and embargoes; provided however, that either party shall have the right to terminate this Agreement upon [(   )] days prior written notice if the other party is unable to remit to either party or its designee any of the payments to be made by the other party because of any of the above mentioned causes.

12.11 Each party warrants that, to the best of its knowledge, it owns, or otherwise has the necessary rights in the Licensed Patent to assign ownership or to grant the rights and licenses conveyed herein. EXCEPT FOR THE WARRANTIES EXPRESSLY SET FORTH HEREIN, THE WARRANTIES HEREIN ARE IN LIEU OF ALL OTHER WARRANTIES, EXPRESS OR IMPLIED, WHETHER ARISING BY COURSE OF DEALING OR PERFORMANCE, CUSTOM, USAGE IN THE TRADE OR PROFESSION OR OTHERWISE, INCLUDING BUT NOT LIMITED TO, IMPLIED WARRANTIES OF MERCHANTABILITY, TITLE AND FITNESS FOR A PARTICULAR PURPOSE OR WARRANTIES AGAINST INFRINGEMENT. WITHOUT LIMITING THE FOREGOING, EACH PARTY EXPRESSLY DISCLAIMS ANY EXPRESS OR IMPLIED

WARRANTY OR REPRESENTATION (i) THAT THE EXERCISE OR OTHER EXPLOITATION OF ANY INTELLECTUAL PROPERTY RIGHTS ASSIGNED OR LICENSED BY IT HEREUNDER SHALL BE FREE FROM INFRINGEMENT OF ANY THIRD PARTY INTELLECTUAL PROPERTY, AND (ii) OF MERCHANTABILITY OR FITNESS FOR A PARTICULAR PURPOSE EVEN IF EITHER PARTY HAS BEEN ADVISED OR SHOULD HAVE KNOWN OF SUCH PURPOSE.

12.12 EXCEPT FOR BREACH BY LICENSEE OF THE LIMITATIONS AND RESTRICTIONS ON THE RIGHTS GRANTED UNDER THE LICENSED PATENT OF LICENSOR, NEITHER PARTY BE ENTITLED TO RECOVER FROM THE OTHER PARTY ANY INCIDENTAL, CONSEQUENTIAL, INDIRECT, SPECIAL OR PUNITIVE DAMAGES (INCLUDING, WITHOUT LIMITATION, DAMAGES FOR LOSS OF BUSINESS, LOSS OF PROFITS OR LOSS OF USE), WHETHER BASED ON CONTRACT, TORT (INCLUDING, WITHOUT LIMITATION, NEGLIGENCE), OR ANY OTHER CAUSE OF ACTION RELATING TO LICENSED PATENT ASSIGNED OR LICENSED HEREUNDER OR CONFIDENTIAL INFORMATION, OR OTHERWISE RELATING TO THIS AGREEMENT, EVEN IF THE OTHER PARTY HAS BEEN INFORMED OR SHOULD HAVE KNOWN OF THE POSSIBILITY OF SUCH DAMAGES.

IN WITNESS WHEREOF, the parties hereto have caused this Agreement to be executed by their duly authorized representatives.

ABC _____
Name : _____
Title : _____

XYZ _____
Name : _____
Title : _____

[Schedule A-F]

第6章
アフィリエイト契約

小原 英志 ● *Hideshi Obara*

1 ビジネスモデル

　インターネット上のウェブサイトやメールマガジンでの広告を目的とし，広告主と広告掲載者が提携するシステムをアフィリエイト・プログラムという。通常，広告の閲覧者が広告掲載者のサイトを経由して広告主の商品，サービス等を入手した際に，広告主から広告掲載者に手数料が支払われる成果報酬型の形態をとる。また，広告主と広告掲載者との間に，アフィリエイト・サービス・プロバイダ（ASP）と呼ばれる広告代理店会社が介在していることが多い。ASPが介在する場合の契約関係としては，広告主がASPに対して広告掲載先の選別を委託し，ASPはかかる委託に基づいて広告掲載者のウェブサイトに広告の掲載を依頼することになる。この場合，最終的な広告掲載契約は広告主と広告掲載者との間で成立することになるが，アフィリエイト・プログラムにおける契約形態は多様であり，契約ごとに契約当事者を判断する必要があるのが現状である。

　なお，アフィリエイト・プログラムについてビジネスモデル特許を取得，申請している企業等も存在するが，実際に当該特許に基づく差止請求等が認められた事案はなく，当該特許の効果や実効性については，今後検討を要するものと思われる。

　以下では，広告主，広告掲載者，ASPそれぞれの視点からアフィリエイト契約に関する解説を試みることとする。

2　リスク分析

2.1　広告主の視点

2.1.1　広告主のメリット

　本ビジネスモデルにおいては，広告主は比較的安価な費用で高い広告効果を得ることができ，かつ，契約内容次第では広告を掲載するウェブサイトの選択が可能であり，対象を限定した広告戦略が可能となる。また，成功報酬型の広告であるため，広告と広告効果が直結している点も大きなメリットとなる。さらに，電子商取引のシェアが爆発的に拡大している現状からも，インターネットを利用した広告は今後さらに増加していくことが予想され，広告主にとっては大変魅力的な広告手段といえる。

2.1.2　広告主のリスク

　上述のように，アフィリエイト広告は非常に魅力的な広告手段ではあるものの，アフィリエイト広告に関する法規制等が未熟であるため，さまざまなリスクが存在する。

　まず，そもそも広告掲載者になろうとする者は広告手数料を得ることのみを目的としており，必ずしも広告主の意向に沿う広告掲載を行うとは限らず，違法サイトに広告が掲載されてしまう可能性もある。

　また，広告掲載者は広告主の行う事業自体（商品販売，サービス提供等）を行っていないため，広告掲載者に対して特定商取引法（「特定商取引に関する法律」），景品表示法（「不当景品類及び不当表示防止法」），薬機法（「医薬品，医療機器等の品質，有効性及び安全性の確保等に関する法律」）等の関係法令が直接適用されない。その結果，たとえば広告掲載者が勝手に誇大表現を加えることで，広告主に特定商取引法，景品表示法違反等のリスクが発生する可能性がある。

　さらに，広告主の著作権，商標権等が侵害される可能性や，広告掲載者が広告主の機密情報や個人情報を入手することで，当該情報が漏えいする可能性も否定できない。

　他方で，成功報酬の算出方法が確立されているとはいえないため，介在す

るASPに広告料の算定を委ねている場合，実際よりも水増しされた成功報酬を要求される可能性も否定できない。

2.1.3　対応策
　　　　　　　　　　　　　　　　　　　　　　🖙 モデル契約書4-6-1

以上のリスクを軽減するためには，広告掲載者が広告手数料獲得のために広告主の意図しない不当な表示を行わないよう，契約上広告掲載者を選択できる旨を規定（モデル契約書①第3条第2項）したり，広告内容に関する禁止規定（モデル契約書①第3条第1項）を設けておくことが望ましい。また，機密保持義務や個人情報漏えい禁止（モデル契約書①第9条）についても規定しておく必要がある。

他方で，広告手数料の不正算出のリスクについては，ASPとの契約において算出方法を明示し，随時報告させることとし，誤った報告がなされた場合には制裁を課すなどの契約上の措置（モデル契約書①第3条第3項，同条第4項）が必要となるものと解される。

また，「インターネット消費者取引に係る広告表示に関する景品表示法上の問題点及び留意事項」といった指針も消費者庁から示されているため，具体的な取引を開始する際には事前に確認すべきである。

2.2　広告掲載者の視点

2.2.1　広告掲載者のメリット

広告掲載者は，ウェブサイトさえ保有していれば初期費用もなく広告料を得ることができ，一度広告を掲載すればその後は特段の作業もなく収入を得られることから，運用次第では極めて魅力的な副業となる。

2.2.2　広告掲載者のリスク

アフィリエイト広告においては，広告手数料の計算が広告主の判断に委ねられていることも多く，広告手数料が正確に計算されているか広告掲載者において確認することができない場合も少なくない。また，実務上広告手数料が一定額を超えなければ支払われないという条件が付されている場合があり，当該額が高額である場合には結局広告手数料を受け取れないこともありうる。

また，広告掲載者はインターネットを通じてASP会員となるのが通常であるところ，ASP会員となるための会員規約はワンクリックで同意できてしまうた

め，当該規約を熟読せずに契約関係に入ってしまう場合も少なくない。当該規約において不当な違約金条項や返金条項が存在した場合には，予想外の不利益を被ることも考えられる。

なお，通常，広告掲載者は広告サイトのリンクを貼るのみであるから，当該広告に関する著作権等を侵害することは原則としてないと解される。

2.2.3　対応策
☞モデル契約書4-6-2

広告掲載者が予想外のリスクを負わないようにするためには，ASPとの契約（規約）を熟読し，支払条件の内容（モデル契約書②第2条第2項），広告掲載者の義務（モデル契約書②第7条），禁止事項（モデル契約書②第8条），免責事項（モデル契約書②第14条）等を充分に確認するべきである。また，広告手数料を回収できない場合の措置や損害賠償義務に関する条項の存否も確認するべきである。

他方で，具体的なリスクは少ないものの，契約（規約）違反を理由に責任追及される可能性を否定できないことから，実際の広告において誇大広告を行ったりしないよう注意すべきである。

2.3　ASPの視点

2.3.1　ASPのメリット

ASPは広告主と広告掲載者を結ぶ媒体であり，アフィリエイト広告においては一度広告掲載を行えば自動的に媒介手数料が加金されるのであるから，広告主と広告掲載者の依頼さえ得られれば事業準備費用なく事業を開始できる。

2.3.2　ASPのリスク

契約形態がさまざまであり，契約書のフォーマットや専門家が少ないため，事前のリーガルチェックを行いながら進めることが難しい事業である。契約の性質が広告掲載委託であるとすると，ASPが当該広告に特定商取引法，景品表示法等の法的リスクを負担することになる可能性や，広告掲載者への委託が独占禁止法（「私的独占の禁止及び公正取引の確保に関する法律」）上の再委託とされ，同法の規制が適用される可能性，さらに，第三者からビジネスモデル特許の侵害を理由として，差止請求等の請求がなされる可能性も完全には否定できない。

他方で、広告主に算定を委ねた場合は実際よりも減額された手数料となってしまう可能性があり、また、広告掲載者への支払義務を負担している場合には、広告主から回収できない場合のリスクを負うことになる。

2.3.3　対応策　　　　　　　　　☞モデル契約書4-6-1・4-6-2

まず、広告主との間での契約においては、広告媒介手数料の算定方法(モデル契約書①第3条第3項、同条第4項)を明確に規定することが望ましい。また、広告内容については一切手を加えないことを条件に一切の責任も負担しないよう免責条項(モデル契約書①第6条)を設けるべきである。

他方で、広告掲載者との契約においては、不正な広告掲載を可及的に防止するために、広告掲載者の遵守すべき義務(モデル契約書②第8条等)を明示し、登録取消権限を留保するといった明文規定(モデル契約書②第9条第2項)を設けるべきである。また、広告掲載者との間でも広告内容に関する法令違反等のリスクについて免責条項を設けておくことが望ましい(モデル契約書②第14条)。

(モデル契約書①)広告主との契約

広告掲載委託基本契約書

　○○○○(以下,「甲」という。)と△△△△(以下,「乙」という。)は,乙が運営するASPを利用した広告掲載に関して,以下の通り基本契約(以下,「本契約」という。)を締結する。

第1条(基本事項)
1　甲及び乙は,信頼と協調の精神に則り,信義に基づいて誠実に本契約を履行する。
2　本契約に関する個別契約が締結され,本契約と個別契約とが矛盾する場合,個別契約が優先するものとする。

第2条(広告の掲載方法)
　乙は甲に対して,ASPを利用して広告を掲載するためのウェブサイト(以下,「紹介サイト」という。)を紹介する。

第3条(広告の掲載条件等)
1　広告掲載条件は以下のとおりとし,甲はこれを遵守する。
　(1)乙又は第三者の著作権その他の知的財産権を侵害するおそれのある表現等を含まないこと
　(2)乙又は第三者の所有権その他の一切の権利を侵害するおそれのある表現等を含まないこと
　(3)違法又は反社会的な表現等を含まないこと
　(4)公序良俗に反する表現等を含まないこと
2　乙は,前項の広告掲載条件に合致しない広告の掲載を拒絶することができる。
3　甲は,紹介サイトを経由した者(以下,「紹介ユーザ」という。)のアクセス履歴を識別するためのシステムを乙が定めることに合意し,乙が当該システムを設置することに協力する。
4　その他本条に関する事項は個別契約により決定する。

第4条(広告料金等)
　広告料金及びその支払方法等は,甲乙が別途書面により合意した個別契約により決定する。

第5条（ASPの利用の拒否，中止，中断）

ASPのメンテナンスの必要があるとき，その他やむを得ない事由がある場合，乙はASPの利用を拒否，中止，中断することができる。

第6条（免責条項）

1　乙は，ASPの利用の拒否，中止，中断によって甲その他の第三者に損害が生じても何ら責任を負わない。
2　ASPを利用した広告の掲載に起因して甲及び乙その他の第三者の権利が侵害された場合，甲は自己の費用と責任においてこれを解決する。
3　甲は，ASPの利用に関して生じた一切の損害につき，乙に対する金銭その他の請求を行わない。

第7条（通知義務）

甲又は乙は，本契約に重大な支障をきたす事由が生じた場合，直ちに相手方に通知する。

第8条（譲渡禁止）

甲は，本契約に基づく権利又は義務を，第三者に譲渡し，又は担保に供し，その他一切の処分をしてはならない。

第9条（秘密保持義務）

1　甲及び乙は，本契約有効期間中であると否とを問わず，本契約に関連して知り得た相手方の秘密事項を第三者に開示してはならず，本契約履行以外の目的で秘密事項を使用してはいけない。ただし，以下に該当する事項は秘密事項の対象から除外する。
　(1)　秘密保持義務を負うことなく既に保有している情報
　(2)　公知の情報又は当事者の責によらずに公知となった情報
　(3)　第三者に対する開示について事前に書面による承諾を得た情報
　(4)　法令上の規定に基づいて開示を要求された情報
　(5)　正当な権限を有する第三者から合法的に開示を受けた情報
2　甲及び乙は，機密情報に個人情報（個人情報の保護に関する法律第2条に定める定義による。）が含まれているときは，同法の定めに従って当該個人情報を取扱うものとする。

第10条（契約の解除）

1　甲又は乙は，相手方が本契約の条項に違反した場合，相手方に相当の期間を定

めて催告し, 当該期間中に違反が是正されなかった場合には, 本契約を解除することができる。
2 　甲又は乙は, 相手方が次のいずれか一つに該当する場合は, 直ちに本契約を解除することができる。
  (1) 本契約の一つに違反した場合
  (2) 支払停止又は支払不能に陥った場合
  (3) 自ら振出し, 引受又は裏書をした手形又は小切手につき1回でも不渡りを発生させた場合
  (4) 差押え, 仮差押え, 仮処分, 競売の申立て, 公租公課の滞納処分, その他公権力の処分を受けた場合
  (5) 破産又は民事再生の申立てがなされた場合
3 　本契約が終了又は本条第1項により解除された場合を含め, 一方当事者に損害が生じた場合には, 他方当事者はこれを賠償しなければならない。

第11条（有効期間）
　　本契約の有効期間は本契約締結の日から[　　]年とする。ただし甲又は乙が, 本契約の期間満了日から[　　]ヵ月前までに本契約を終了させる意思を書面により通知した場合を除き, 本契約は更に[　　]年効力を有するものとし, 以後も同様とする。

第12条（協議）
　　本契約に定めのない事項及び本契約の各条項に疑義が生じた場合には, 甲乙誠意をもって協議の上, 解決にあたる。

第13条（準拠法・裁判管轄）
　　本契約は日本法に従って解釈し, [　　　　]地方裁判所を第一審の専属的合意管轄裁判所とする。

以上，本契約締結の証として本書2通を作成し，甲乙各1通を保有する。

　　年　　月　　日

　　　　　　　　　　（甲）住所
　　　　　　　　　　　　　氏名　　　　　　　　　㊞

　　　　　　　　　　（乙）住所
　　　　　　　　　　　　　氏名　　　　　　　　　㊞

(モデル契約書②)広告掲載者との契約

ASPサービス利用規約

　本規約は，○○○○(以下「当社」という。)と本文にて定義するASP会員に適用され，ASP会員はこれを遵守しなければならない。

第1条（定義）
1　ASP
　特定のウェブサイトに広告を掲載し，閲覧者を広告主のウェブサイトへ誘導し，その対価として広告主より報酬を受け取る仕組み(アフィリエイトプログラム)をいう。
2　ASP会員
　自らが運営するウェブサイトに広告を掲載し，閲覧者を広告主のウェブサイトへ誘導し，その対価として広告主会員より報酬を受け取ることを意図する個人，法人あるいは団体をいう。
3　会員サイト
　ASP会員が運営するサイトをいう。
4　閲覧者
　会員サイトに掲載された広告を通じて，会員サイトから広告主サイトへ移動し，あるいは移動しようとする者をいう。
5　リンク
　会員サイトにおかれ，クリック等により閲覧者のブラウザに広告主サイトを表示するハイパーリンクをいう。

第2条（広告報酬）
1　会員サイト上のリンクを通じて広告主サイトにアクセスした閲覧者が，広告主サイトにおいて広告主があらかじめ定める一定の条件を満たした場合，その条件成就の内容に応じて［　　　　］からASP会員に対して広告報酬が支払われるものとする。
2　広告報酬は［　　　　］とし，ASP会員にあらかじめ指定された当該会員名義の金融機関の口座に振り込み，支払うものとする。

第3条（ASPへの登録）
1　ASP会員になろうとする者は，当社の定める方法により会員登録を行う。

2　当社は，ASP会員になろうとする者が以下の事由に該当する場合には，登録を承認しない。
　(1) 過去にASPに登録したことがあり，その登録が抹消されたことがある場合
　(2) 申込時に登録申請した事項に偽りがあった場合
　(3) 著作権その他の知的財産権を侵害するおそれのある表現，内容を含む場合
　(4) 所有権その他の権利を侵害するおそれがある表現，内容を含む場合
　(5) 公序良俗に反する表現，内容を含む場合
　(6) 違法又は反社会的な表現，内容を含む場合
　(7) 本条に該当するウェブサイトへのリンクがある場合
　(8) その他，当社が不適当と認める場合

第4条（広告主との広告掲載契約の成立）
1　ASP会員は，管理ページにおいて，会員サイトとの提携を希望する広告主を選択するものとする。
2　ASP会員が，提携を希望するにあたっては，管理ページに記載された広告報酬金額，その他の提携条件を確認してこれを承認した後，提携の申請を行うものとする。なお，管理ページに掲載される広告報酬の金額は，消費税を含めた金額とする。
3　ASP会員が提携の申請を行って，広告主がこれを承認した場合，広告掲載契約が成立するものとする。

第5条（ASPの停止，終了）
1　当社は，ASPの点検，修理もしくは補修等が必要である場合その他のやむを得ない事情がある場合には，ASPを一時的に停止できる。
2　ASP会員はASPが前項の事由により一定期間停止される場合があることをあらかじめ承諾し，当該停止を理由として当社に対して損害賠償請求その他の請求を行わない。
3　ASPの提供を継続することができない事情が生じた場合，当社はあらかじめ広告もしくは通知の上，ASPを終了できる。

第6条（ASPの変更）
　当社は，必要に応じてASPの内容を変更できるものとし，ASPの変更によりASP会員に損害等が発生しても，当社はその責任を負わないものとする。ただし，当社に故意又は重大な過失がある場合はこの限りでない。

第7条（ASP会員の義務）
1　ASP会員は，会員サイトの内容に変更があった場合，直ちに当社に通知するものとする。
2　会員サイトの内容に関してトラブルが発生した場合，ASP会員は自己の費用と責任でこれを解決し，当社又は広告主に一切の損害，負担，迷惑等をかけないものとする。
3　ASP会員は，ASPの提供を受けることに問題が生じた場合その他の問題を発見した場合，直ちに当社に報告するものとする。
4　ASP会員は当社が発行したID，パスワード，その他の情報等を厳重に管理するものとし，不正使用，ならびに第三者に漏らしたり使用させたりしてはならないものとする。
5　ASP会員は，登録申込時に当社に申し出た事項に変更があった場合，直ちに当社に通知するものとする。
6　その他ASP会員は，本規約に別途記載された義務及び関連法令上の義務を遵守するものとする。

第8条（禁止事項）
1　ASP会員は，会員サイトにおいて以下の行為を行わない。
（1）広告報酬を目的として，成果報酬へつながる行為を強要，嘆願すること。
（2）広告主の意図していない方法での誘導を行うこと。
（3）広告主の名誉又は信用を毀損するおそれのある表現を用いること。
（4）ASPの内容を説明する表現，広告報酬の金額等を記載すること。
（5）電子メールでのスパム行為，掲示板への書きこみ等による宣伝行為，またそれ以外の方法，手段による当社もしくは第三者に対する迷惑行為
2　ASP会員は，当社が配信する広告表示用のプログラムコードを，登録を受けた会員サイト以外で使用してはならないものとする。登録抹消後においても同様とする。

第9条（監視業務）
1　当社は，ASP会員のASPの利用状況，使用方法等を適宜監視する権利を有する。
2　当社は，前項の監視業務により，ASP会員が関連法令もしくは本規約に違反する行為その他不正行為を行っている，もしくは行っている蓋然性が高いと判断した場合，ASP会員の登録を取り消すことができる。

第10条（権利の譲渡等禁止）

ASP会員は，本規約に定める権利の全部，又は一部を第三者に販売，譲渡，担保提供，使用等させてはならないものとする。

第11条（守秘義務）

ASP会員は，当社又は広告主の技術上，業務上，その他の秘密に属すべき一切の事項を第三者に知らせてはならないものとし，ASP会員の登録抹消後においても同様とする。

第12条（登録抹消）

1　当社は，以下の事項が生じたときは，催告することなく，ASP会員に通知することにより，ASP会員の登録を抹消できる。
　（1）戦争，災害やその他の異常事態によりASPの提供継続が困難となった場合
　（2）ASP会員が登録申込時に申請した事項に，虚偽の事実があったことが判明した場合
　（3）ASP会員が本規約に違反した場合
　（4）極端に広告効果が悪いと当社又は広告主が判断した場合
　（5）その他，ASP会員に不実又は不信用行為があり，契約を継続しがたいと認められる場合
2　広告主が当社に対してASP会員との広告提携を解消する旨を申し出た場合，当社は速やかにこれをASP会員に通知するものとし，当該通知の到達により当該ASP会員の登録は抹消されたものとみなす。

第13条（ASP会員の退会）

ASP会員はいつでも登録抹消を申し出ることができる，当該申出が当社に到達した時点で登録は抹消される。

第14条（損害の免責）

当社は，ASP会員がASPに関して被った損害について，その原因，因果関係の如何を問わず，何ら責任を負わない。

第15条（連絡）

1　当社からASP会員に対する通知，連絡等は原則として電子メールにて行うものとする。
2　当社からASP会員に対する通知，連絡等は，当社が電子メールを発信した日にASP会員に到達したとみなす。

3　ASP会員がメールアドレスを変更した場合，直ちに当社に届け出なくてはならない。

4　上記に違反しメールアドレスを届け出なかった事により当社からの電子メールが未到達の場合，当社が電子メールを発信した日に当社からASP会員に対する通知，連絡等がなされたとみなす。

第16条（有効期間）
　　本規約の有効期間は本規約締結の日から［　　］年とする。ただしASP会員又は当社が，本規約の期間満了日の［　　］ヵ月前までに本規約を終了させる意思を書面により通知した場合を除き，本規約はさらに［　　］年間効力を有するものとし，以後も同様とする。

第17条（合意管轄裁判所）
　　本規約に関わる一切の紛争は，［　　　　　］地方裁判所又は簡易裁判所を合意専属管轄裁判所とする。

第18条（協議事項）
　　本規約に定めのない事項について疑義が生じる，又は本規約の各条の解釈に疑義が生じた場合，当社及びASP会員は互いに誠意をもって協議し，これを解決する。

第19条（規約及び条件等の改定）
　　本規約及び条件は，当社の判断によりASP会員の承諾なく随時変更・改定を行うことができる。

第7章
パッケージライセンス契約

江口 大三郎● *Daisaburo Eguchi*

1 ビジネスモデル

　パッケージライセンス契約とは，複数の特許権，特許を受ける権利，ノウハウ，商標権等を一括してライセンスの対象とする契約をいう。
　一般に，一つの製品を製造する際，その過程において実施される特許やノウハウは複数存在する。
　そして，産業の分野によっては，製品の製造等に要する技術が高度に複雑化していることに伴い，一つの製品に対して実施される特許やノウハウが多数にわたる場合がある。これらの特許やノウハウにつき，個々にライセンス契約を締結していては，管理に要するコストも膨大化する。これを防止するために，パッケージライセンス契約が必要とされている。
　また，フランチャイズの一形態として，パッケージライセンス契約が締結されることがある。これは，一般的なフランチャイズ契約と比較して，事業の運営上，ライセンサー（フランチャイザー）による経営指導・援助等が原則として行われない一方で，ライセンシー（フランチャイジー）が設置する店舗等の設置条件や提供する商品・役務等の内容・販売価格・仕入先等の指定も原則として行われないので，当事者双方にとって制約が少ないものといえる。このため，各店舗等経営者の自由な裁量でもって事業が展開されることを想定したブランド戦略においては，パッケージライセンス契約が有用といえる。近年，この契約を活用して自己の商号・商標等を展開する事業形態を特にパッケージライセンスビジネスと呼称し，フランチャイズと区別して論じられることがある。この呼称自体は和製英語であるものの，後述の中小小売商業振興法上の規制との関係で一定程度の区別の実益がある。

2 リスク分析

2.1 抱合せ取引の強制によるリスク

　パッケージライセンス契約は，ライセンシーが求める技術以外の技術についても，一括してライセンスを受ける義務を課す内容となる場合がある。契約締結交渉上，ライセンサーがライセンシーに対して，優越的地位にあることを利用し，抱合せ取引を強制するケースが想定されるためである。このような場合，ライセンシーとしては，事業上，必要としない技術につき余分な対価の支払を余儀なくされることはもとより，ライセンサーにおいては，後述の独占禁止法に抵触するリスクがある。

2.2 ブランディングの失敗

　フランチャイズの一形態としてのパッケージライセンス契約は，前述のとおり，当事者双方にとって制約が少ないので，各ライセンシーが経営する店舗等に対して顧客が抱くイメージは必ずしも同一性が保たれるものとはいえず，ないしは，ライセンサーが想定しない態様で事業が展開された結果として，ブランドイメージの毀損を招くリスクが考えられる。

　また，契約上，ライセンサーに経営指導等を行う義務が原則として課されないことも相まって，契約締結後において当事者間のコミュニケーションが疎かとなるケースが想定されるので，ライセンシーが経営に関する知識を十分に有していない場合，同様のリスクが考えられる。

3 関連する法律・許認可など

3.1 独占禁止法(「私的独占の禁止及び公正取引の確保に関する法律」)

3.1.1 19条(不公正な取引方法の禁止)との関係

　前述のとおり,パッケージライセンス契約は,ライセンサーがライセンシーに対してライセンシーの求める技術以外の技術についても,一括してライセンスを受ける義務を課す行為を構成し得る。これについては,ライセンシーが求める技術の効用を保証するために必要であるなど,一定の合理性が認められる場合がある。

　しかしながら,技術の効用を発揮させる上で必要ではない場合又は必要な範囲を超えた技術のライセンスが義務付けられる場合は,ライセンシーの技術の選択の自由が制限され,競争技術が排除される効果を持ち得ることから,公正競争阻害性を有するときには,不公正な取引方法に該当する(一般指定10項,12項,公正取引委員会「知的財産の利用に関する独占禁止法上の指針」第4-5-(4)参照)。

　この場合,独占禁止法19条に違反するものとして,排除措置命令(同法20条1項),差止請求(同法24条),損害賠償請求(同法25条1項,民法709条)等の対象となる。

3.1.2 一般指定10項(抱き合わせ販売等)に該当するものとされた事例

　複数のソフトウェアを併せてパソコン本体に搭載又は同梱して出荷する権利を許諾する契約につき,不公正な取引方法の一般指定10項に該当するとして,独占禁止法19条違反が認められた事例が挙げられる(公正取引委員会平成10年12月14日勧告審決)。

　公正取引委員会は,同項において,「相手方に対し,不当に,商品又は役務の供給に併せて他の商品又は役務を自己又は自己の指定する事業者から購入させ,その他自己又は自己の指定する事業者と取引するように強制すること」を,同条の「不公正な取引方法」として指定している。ここにいう「不当に」と

は，公正な競争を阻害するか否か（公正競争阻害性の有無）により判断される（大阪高等裁判所平成5年7月30日判決）。また，「購入」とは，売買に限定されず，一定の商品又は役務の供給を受けることであり，ライセンス契約もこれに含まれると考えられている（同勧告審決）。

3.1.3 一般指定12項（拘束条件付取引）に該当するものとされた事例

米国籍企業が国内端末等製造販売業者との間で締結した一括ライセンス契約において，無償許諾条項等を規定することが一般指定12項に該当するとして，独占禁止法19条違反が認められた事例が挙げられる（公正取引委員会平成21年9月28日排除措置命令）。

ただし，この事例は，一括してライセンスを受ける義務を課した点が直接的に問題とされているものではなく，また，当該排除措置命令については，後の審決により公正競争阻害性が否定され，取り消されている点に留意すべきである（同平成31年3月13日審決）。

3.1.4 パテントプールの形成に関する問題

パテントプールとは，ある技術に権利を有する複数の者が，それぞれの所有する特許等又は特許等のライセンスをする権限を一定の企業体や組織体（その組織の形態には様々なものがあり，また，その組織を新たに設立する場合や既存の組織が利用される場合があり得る。）に集中し，当該企業体や組織体を通じてパテントプールの構成員等が必要なライセンスを受けるものをいう（公正取引委員会「知的財産の利用に関する独占禁止法上の指針」第3-2-(1)-ア）。

前述のとおり，現代の産業においては，一つの製品を製造するために実施を必要とする特許やノウハウが多数にわたる場合がある。加えて，これらの特許やノウハウに係る権利は，必ずしも全てが単一の者に帰属しているとは限らず，権利者が複数人にわたる場合がある。このような場合に，パテントプールの形成等を行う必要性が生じる。

パテントプールの形成に当たっては，まず，本来ならば競争関係にある事業者同士が共同してライセンスを行うので，このこと自体，独占禁止法上の問題を生じ得る。次に，共同して行われたライセンスによって集中した特許等を，構成員等に対して一括でライセンスするので，その対象の中には，各ライセ

ンシーの求める技術以外の技術が混在し得る。このため，パテントプールの構成によっては，ライセンシーの技術の選択の自由が制限され，競争技術が排除される効果を生じる場合がある（公正取引委員会「標準化に伴うパテントプールの形成等に関する独占禁止法上の考え方」第3-2-(1)参照）。

3.2　中小小売商業振興法

　中小小売商業振興法11条1項は，フランチャイズを「特定連鎖化事業」として位置付け，その運営の適正化を図っている。特定連鎖化事業とは，主として中小小売商業者に対し，定型的な約款による契約に基づき継続的に，商品を販売し，又は販売をあっせんし，かつ，経営に関する指導を行う事業であって（同法4条5項），当該事業に係る約款に，加盟者に特定の商標，商号その他の表示を使用させる旨及び加盟者から加盟に際し加盟金，保証金その他の金銭を徴収する旨の定めがあるものをいう。

　この点，パッケージライセンス契約は，原則として，経営指導を行うことを内容としないので，特定連鎖化事業に該当しないこととなる。

　したがって，パッケージライセンス契約でもってフランチャイズを展開する場合，あくまで具体的な契約内容により規制の態様も変わってくるが，原則として，フランチャイザー（ライセンサー）は，同法11条1項に定められる重要事項につき，加盟希望者（ライセンシーとなる者）に対する情報開示及び説明が義務付けられることはないといえる。

4　契約書チェックポイント　　　　モデル契約書4-7-1

　ここでは，冒頭に述べたパッケージライセンスビジネスを例として，契約締結の際にチェックすべき項目について検討する。

- 目的（第1条）

　パッケージライセンスの場合，事業者（ライセンサー）が擁立するブランドを使用して同様ないし類似の事業を行う権利を他の事業者（ライセンシー）に許諾することで収益拡大を図ることが事業目的となる。

- 定義（第2条）

  パッケージに含まれる目的物を細目でもって定義することが望ましい。取り分け，ここでは割愛したが，商標・特許等については，別紙目録を作成して登録番号等を記載することにより特定されるべきである。

- 使用許諾（第3条）

  複数のライセンスを一括で使用許諾することになる。

- 許諾地域（第4条）

  パッケージライセンスビジネスの場合，ライセンサーは，厳格にテリトリーを定め，ライセンシー同士の競合を防止することが望ましいと考えられる。

- 対価（第5条）

  ライセンスの許諾料や権利金である。なお，開業後の指導及び売上金に応じたロイヤルティの支払いを義務付ける条項を付加した場合，特定連鎖化事業に該当するものとされ，重要事項説明書の交付が義務付けられるなど諸規制を受ける可能性がある点に留意すべきである。

- 競合禁止（第6条）

  ライセンシーが本契約を通じて得た秘密や信用を用いてライセンサー及び他のライセンシーの利益を害することを防止するための規定である。

- 秘密保持（第7条）

  ライセンサーのノウハウ等を保護する必要性を考慮する必要がある。特に，ノウハウが営業秘密として不正競争防止法上の保護を受けるためには，それが「秘密として管理」されていなければならず，この要件の充足性が後述の差止請求の可否にも影響することに留意すべきである。

- 第三者の不正競争（第8条）

  不正競争防止法は，営業秘密に関する不正競争について差止請求権及び損害賠償請求権を認め，また，損害額の推定等についても規定している。

- 契約期間（第9条）

  商標権等，本件目的物の存続期間を考慮した合理的な期間を定めることとなる。

- 契約の解除（第10条）

  基本的には，ライセンサーの権利を侵害しない範囲であれば途中離脱は

自由とする場合が多い。

- **契約終了後の秘密保持**（第11条）

  秘密保持期間が永久に継続することは過度の負担となり得ることに留意すべきである。ノウハウは，排他的独占権ではなく，非公知性を本質的特徴とした知的財産であるため，非公知性の存否等を考慮して合理的な期間を定めることも選択肢に入れるべきである。

- **合意管轄**（第12条）

  紛争の際の専属管轄を定める規定である。

- **協議**（第13条）

  一般的に用いられる規定である。仮に努力義務であるとしても，義務付けることによって，協議を始めることに対する心理的障壁を緩やかならしめる効用はあると考えられる。

パッケージライセンス契約書

株式会社XYZ（以下「甲」という。）と〇〇〇〇（以下「乙」という。）は、「XYZストア」の展開について次のとおり、パッケージライセンス契約を締結する。

第1条（目的）
　本契約は、甲が経営する「XYZストア」につき、一定の地域における独占的営業権等を乙のために設定するに当たり、その基本条件を定めるものである。

第2条（定義）
　甲が保有する「XYZストア」の商標、商号並びに店舗デザイン及びメニューその他のノウハウを「本件目的物」という。

第3条（使用許諾）
　甲は、乙に対し、第4条に定める地域に限り、本契約有効期間中、本件目的物の使用を許諾する。

第4条（許諾地域）
　甲は、乙に対し、[　　　　]地域に限り、本件目的物の使用を許諾する。

第5条（対価）
　乙は、甲に対して、第3条の許諾の対価として、以下の金員を支払う。
　（1）　契約一時金として、令和[　]年[　]月[　]日限り、金[　　　]円。
　（2）　ランニングロイヤルティとして、毎月末日限り、金[　　　]円。

第6条（競業禁止）
　乙は、本契約有効期間中及び本契約終了後2年の間に、本件契約店舗が所在する同一行政区域内（市、区、町、村）において、本件事業と競合する事業は行うことができない。

第7条（秘密保持）
　甲及び乙は、本契約に基づき甲から受領したノウハウ及びその他の秘密情報を秘密に厳格に保持し、相手方の事前の書面による承諾を得ることなしに、第三者に開示、漏洩せず、また、この契約の目的以外に使用しないものとする。ただし、次の各号のいずれかに該当するものについてはこの限りでない。
　（1）　開示を受けた時に、既に受領当事者が知っていたもの。

(2) 受領当事者の責によらずに，既に公知となっていたか，又はその後公知となったもの。
(3) 正当な権限を有する第三者から入手したもの。
(4) 受領当事者が独自に開発したもの。

第8条（第三者の不正競争）
　乙は，本件目的物に関する第三者の不正競争を発見したときは，その旨を甲に報告し，かつその入手した証拠資料を甲に提供する。

第9条（契約期間）
　本契約は，その締結の日から効力を生じ，10年間有効に存続するものとする。ただし，本契約の終了1か月前までに相手方から特段の通知がない場合，本契約は1年間延長され，以後も同様とする。

第10条（契約の解除）
1　いずれか一方の当事者が，本契約の規定に違反し，相手方からの書面による通知を受領した後30日以内にその違反を是正しない場合，相手方は，本契約を解除することができる。
2　前項の場合，解除した甲又は乙は，相手方に対し，生じた損害の賠償を請求することができる。
3　甲は，乙が本件目的物であるノウハウについて秘密性その他の争いを提起した場合には，本契約を解除することができる。

第11条（契約終了後の秘密保持）
　本契約が終了した場合，乙は本件目的物を使用してはならず，また，本件目的物であるノウハウの秘密を保持しなければならない。

第12条（合意管轄）
　本契約に関する紛争の第一審管轄裁判所は，東京地方裁判所とする。

第13条（協議）
　本契約に定めのない事項，もしくは，本契約の条項の解釈に疑義が生じた条項については，甲乙協議の上，円満解決を図るものとする。

　以上のとおり，パッケージライセンス契約が成立したので，これを証するため本契約書2通を作成し，甲乙各記名押印の上，各1通を所持する。

年　　月　　日

　　　　　　　　　(甲)　住　　所
　　　　　　　　　　　　会 社 名
　　　　　　　　　　　　役　　職
　　　　　　　　　　　　氏　　名　　　　　　　㊞

　　　　　　　　　(乙)　住　　所
　　　　　　　　　　　　氏　　名　　　　　　　㊞

第8章
サブライセンス契約

江口 大三郎 ● *Daisaburo Eguchi*

1　ビジネスモデル

　サブライセンス契約とは，ライセンシーが，ライセンサーとのライセンス契約（主たるライセンス契約）により付与された権限に基づき，当該ライセンスの対象となっている特許やノウハウについて，ライセンスを第三者に許諾することを内容とする契約をいう。この場合における主たるライセンス契約をサブライセンス権付きのライセンス契約という。また，サブライセンス契約によって当該第三者に認められるライセンスがサブライセンス（再実施権）である。サブライセンス契約は，主たるライセンス契約の範囲内で有効となるが，主たるライセンス契約からは独立したものである。

　サブライセンス契約が締結される典型的な場面は，ライセンシーが，その子会社又は下請先若しくは製造委託先等に対してサブライセンスを行い，製品の製造等の業務を分担させる場面である。

　また，パテントプールを形成するための方法として，サブライセンス契約が締結されることがある。一般に，パテントプールにおいては，ライセンサーとライセンシーの他に，両集団の間に立って契約締結交渉やロイヤルティの徴収と分配の代行などといったライセンス管理業務を行う者が介在する。そして，ライセンス管理業務を行う者は，単にライセンス契約の仲介や代理を行うにとどまらず，自ら主体となってライセンスを集中的に受けたうえ，サブライセンスを行う場合がある。

2　リスク分析

2.1　主たるライセンス契約の終了によるサブライセンスの消滅

　商標の専用使用権設定契約が期間満了により終了した場合には，その専用使用権設定登録が抹消されていなくとも，専用使用権者から通常使用権の再許諾を受けていた者の通常使用権者たる地位が消滅すると判断された事例がある（知的財産高等裁判所平成21年11月30日判決）。そのほかの知的財産権についても，主たるライセンス契約が終了した場合，通常，ライセンシーのライセンスは全て消滅するので，サブライセンスも消滅するとの見解が一般的である。したがって，サブライセンシーは，知的財産権の保有者から直接にライセンスを受けたライセンシーに比して，法律的に安定しない地位に立たされるものといえる。

2.2　サブライセンシーの第三者対抗要件

　サブライセンスの対象が特許である場合，通常実施権者からのサブライセンスについて対抗力を備えるには，現行法の下では，特許権者を許諾者とする通常実施権として，特許権者とサブライセンシーが共同で通常実施権の設定登録を申請しなければならない（特許登録令18条）。そして，通常実施権の登録申請に当たっては，登録の原因を証明する書面を申請書に添付しなければならないこととされている（特許登録令30条）が，現在の登録実務では，当該原因書面として，ライセンサーがライセンシーに対して通常実施権を許諾した旨の契約書又は許諾証書を求めている（特許庁「特許権に係るサブライセンスの保護の在り方について」2-(3)）。

　したがって，あらかじめ主たるライセンス契約において，サブライセンスを行うことについて，ライセンサーである特許権者がライセンシーに授権している場合であっても，サブライセンシーが登録制度上の保護を受けるためには，結局，特許権者の個別の承諾書が必要となってしまう点に留意すべきである。

2.3 主たるライセンス契約のライセンサーによる管理監督の不全

　サブライセンシーとの間に直接の契約関係がないライセンサーとしては，サブライセンシーの事業活動を把握し難いので，ライセンシーを通じてサブライセンスの運用につき管理監督をするほかなくなる。したがって，サブライセンスを許諾する場合，主たるライセンス契約を締結する段階で，許諾する分野，事業，地域等を限定し，想定されるサブライセンスの内容を可能な限り把握しておくことが望ましい。

3　関連する法律・許認可など

3.1　特許法／実用新案法／意匠法

　特許法／実用新案法／意匠法では，それぞれ，専用実施権についての通常実施権たる再実施権のみ規定されている（特許法77条4項，実用新案法18条3項，意匠法27条4項）。通常実施権者がさらに第三者に対して実施許諾をすることに関する規定はないが，実務においては，通常実施権者からのサブライセンスは広く行われており，当該知的財産権の保有者の承諾がある以上は特にこれを否定すべき理由はないと考えられている。このほか，著作権やノウハウ等の知的財産についても，契約自由の原則からサブライセンスが認められると考えられている。なお，著作権法上，出版権のサブライセンスにつき，平成26年改正前はできないと規定されていたものの，現行法では，複製権等保有者の許諾を得た場合に限り可能であるとされている（著作権法80条3項）。

3.2　独占禁止法（「私的独占の禁止及び公正取引の確保に関する法律」）

　ライセンサーがライセンシーに対し，そのサブライセンス先を制限する行為は，原則として不公正な取引方法に該当しない（公正取引委員会「知的財産

の利用に関する独占禁止法上の指針」第4-3-(4))。

　もっとも，製造業者であるサブライセンサーが，主たるライセンス契約の内容変更がなされていないにもかかわらず，下請製造業者との間で締結されていたサブライセンス契約の内容を変更し，サブライセンシーに対する新たな制約条項を加えたことにつき，私的独占（独占禁止法2条5項）を構成する一事情として考慮され，同法3条前段違反が認められた事例がある（公正取引委員会昭和47年9月18日勧告審決）。この事例は，あくまで製品の供給停止等の他の諸事情と総合して違反が認められた事例であるものの，ライセンシーがサブライセンシーに対し，契約締結交渉上，優越的地位にあることを利用し，合理的な理由なく主たるライセンス契約に比して不利な内容のサブライセンス契約を締結した場合につき，違法と判断される可能性を示唆するものである。

4　契約書チェックポイント　　☞モデル契約書4-8-1

- 定義（第1条）

　ライセンシーが再使用許諾できる地域を限定する場合，その地域を定めることとなる。このほか，「顧客」とは誰か，「再販売店」とはどのような者か，「サブライセンスの形態」はどのようなものか，などを定義する。

- 使用許諾条項（第2条）

　前述のとおり，ライセンシーがサブライセンシーの事業活動を直接に把握することが困難なので，再許諾の際，サブライセンシーを特定できる情報の事前通知義務をライセンシーに課す規定を置くことが通常である。

- 使用許諾地域（第3条）

　再使用許諾できる地域を限定する場合，当該地域における使用の態様が，独占的か非独占的かを明記することが重要である。

- ロイヤルティ（第4条）

　ロイヤルティを定めることが販売代理店契約との大きな違いである。

　第1項では，契約一時金（イニシャル・ペイメント）の支払義務を規定した。これは，ダウン・ペイメントや頭金とも呼ばれるものであり，ライセンサー

の開発費用等の一部補填等を目的として，契約締結時に一定程度の金額の支払を定めるものである。

　第2項では，ランニング・ロイヤルティとして，売上高の一定割合の支払義務を定めた。もっとも，売上高の一定割合をロイヤルティとすると，ライセンシーにおける事業の失調のリスクを直ちにライセンサーが負うこととなる。このため，第3項において，ミニマム・ロイヤルティを規定した。これにより，ライセンシーは，ミニマム・ロイヤルティの金額以上の支払をライセンサーに対し，保証することとなる。

　なお，ロイヤルティの規定に当たっては，サブライセンシーから費用を徴収するか否かについても明示することがある。

- 競業禁止条項（第5条）

　ライセンシーが許諾地域内において本製品に競合する商品を取り扱った場合，当該地域における本製品の販売が阻害され得るので，これを禁止する条項を規定した。

　特に，独占的なライセンス契約である場合，許諾地域内における商業活動につき，ほぼ全面的にライセンシーの商業活動に依拠することとなるので，競業禁止条項を明示的に規定することが多い。

- 契約期間（第6条）

　独占的なライセンス契約の場合，契約期間の長さは特に重要な要素となる。契約期間中，当該地域における本製品に係る一切の商業活動をライセンシーに委ねることとなるので，ライセンサーとしては，当初の契約においては試用期間としての短期間を設定したうえ，後の活動経過を考慮して延長するか否かを判断する方が望ましいということも想定し得る。

- 契約終了（第7条）

　ライセンシーが適切な商業活動を行わず，ないしはこれによりライセンサーの信用を毀損するおそれがある場合，当初のライセンス契約の目的達成が困難となることから，解除の必要性が生じ得るので，この点につき，あらかじめ解除事由として規定すべきである。

- 契約終了後の扱い（第8条）

　前述のとおり，主たるライセンス契約が終了してライセンスが消滅すれ

ば，サブライセンスも消滅するのが原則である。しかしながら，サブライセンシーとしては，サブライセンスの存続を望むのが通常である。このため，サブライセンシーがライセンサーとの間で直接に新たな契約を締結することにより実質的な存続の余地を認める旨，規定しておくことが，取引の安全に資する。

- 不可抗力（第9条）

不可抗力により本契約に基づく債務の全部又は一部を履行することができなくなった場合における規定である。

- 準拠法（第10条）

契約解釈の基本となる準拠法を規定する。国内取引しか想定されない場合，問題とはならない。

- 合意管轄条項（第11条）

当事者の合意により，裁判によって紛争解決をする場合の裁判所を指定することができる。合意管轄は，日本の場合，第一審に限り認められている。

- 協議条項（第12条）

国内契約で一般的に用いられる訓示的な誠実協議条項を規定した。

サブライセンス権付きライセンス契約書

　〇〇〇〇株式会社（以下「甲」という。）と△△△△株式会社（以下「乙」という。）は，次のとおり合意する。

第1条（定義）
　(1)　「本製品」とは，[　　　　　　　　　　　　　　　　　]である。
　(2)　「本地域」とは，[　　　　　　　　　　　　　　　　　]である。
　(3)　「本顧客」とは，[　　　　　　　　　　　　　　　　　]である。

第2条（使用許諾条項）
1　甲は，乙に対し，本地域において，本製品を製造販売する譲渡不可の独占的ライセンスを許諾する。
2　乙は，本契約に基づく乙のライセンスの範囲で，サブライセンスとして，第三者に対するライセンスの再許諾ができるものとする。ただし，乙が，事前に甲に対し，当該第三者の氏名又は名称及び住所を通知することを条件とする。

第3条（使用許諾地域）
　　前条の規定は，本地域内においてのみ許される。

第4条（ロイヤルティ）
　　乙は，甲に対して，本製品の使用料として，以下の金員を甲の指定する口座に振り込む方法により支払う。振込手数料は，乙の負担とする。
　(1)　契約一時金として，令和[　]年[　]月末日限り，[　　　　]円。
　(2)　ランニング・ロイヤルティとして，本製品の売上高が[　　　　]円を超えた場合には，その[　　　]パーセント。
　(3)　本製品の売上高が[　　　　]円に満たない場合であっても，最低使用料として，[　　　　]円の[　　　]パーセントに当たる金額。

第5条（競業禁止）
　　乙は，本地域内において，本製品と同一又は類似の製品を製造・販売してはならない。

第6条（契約期間）
　　本契約の期間は，本契約書締結の日から1年間とする。ただし，甲乙のいずれかが相手方に対して，書面をもって期間満了前3か月前までに契約を更新しない旨

の通知をしない場合，さらに1年間自動更新したものとみなし，以後同様とする。

第7条（契約終了事由）
　甲及び乙は，相手方が本契約に違反し，1か月前の催告から同期間中に当該違反が是正されない場合，書面による通知をもって，直ちに本契約を解除できる。

第8条（契約終了後の扱い）
　本契約が解除された場合，甲は，サブライセンシーとの間で，実施許諾を継続するかサブライセンシーと協議をするよう努める。

第9条（不可抗力）
　いずれかの当事者が，天災，戦争，内乱，法令の廃棄，公権力による命令又は処分，その他自らの責めに帰すべからざる事由により，本契約に基づく債務の全部又は一部の履行ができないときは，その当事者はその責を負わないものとする。

第10条（準拠法）
　本契約は，日本法に準拠し，これに従って解釈されるものとする。

第11条（合意管轄）
　本契約に関する紛争は，東京地方裁判所を第一審管轄とする。

第12条（協議）
　本契約に定めのない事項，もしくは，本契約の条項の解釈に疑義が生じた事項については，甲乙協議の上，円満解決を図るものとする。

　上記契約の証として本契約書を2通作成し，当事者双方署名あるいは記名捺印の上，各自1通を保有するものとする。

　　　　年　　　月　　　日

　　　　　　　　　　（甲）　住　所
　　　　　　　　　　　　　会社名
　　　　　　　　　　　　　氏　名　　　　　　　㊞

　　　　　　　　　　（乙）　住　所
　　　　　　　　　　　　　会社名
　　　　　　　　　　　　　氏　名　　　　　　　㊞

第9章
フランチャイズライセンス契約

(9-1 国内フランチャイズ契約)
吉川 達夫 ● *Tatsuo Yoshikawa*

(9-2 国際フランチャイズ契約)
安部 敬二郎 ● *Keijiro Abe*

9-1　国内フランチャイズ契約

1　ビジネスモデル

　フランチャイズビジネスとは, 本部事業者(フランチャイザー)が加盟者(フランチャイジー)を募って契約(フランチャイズ契約)を締結し, 自己の商標, サービス・マークその他営業の象徴となる標識, 経営ノウハウを用いて, 同一のイメージの下に商品の販売等その他の事業を行う権利を与え, 一方, フランチャイジーは一定の対価を支払い, 事業に必要な資金を投下してフランチャイザーの指導及び援助の下に事業を行う両者の継続的関係をいう。フランチャイズ契約は, ①フランチャイザーの知的財産権や名称使用の許諾, ②フランチャイザーの開発した商品, サービス, システムの供給や使用許諾, ③フランチャイザーによる継続的な情報提供とアドバイス, といった複合的な内容となっている。

　フランチャイジーは, 加盟金, 保証金, 仕入代金, ロイヤルティなどをフランチャイザーに支払う。フランチャイジーは法律的にはフランチャイザーから独立した事業者であることから, 独占禁止法の適用がある。

　ボランタリーチェーンとは, 一店舗では弱い独立小売店が経営の独自性を保ちながら仕入れ, 販売促進活動を共同化することにより, 規模の利益と分業の効率性を得ようとするチェーン組織のことであり, 営業に関する義務が少ないところに通常のフランチャイズ形態であるレギュラーチェーンとの相違がみられる。代理店契約は, 本部が加盟者との契約で一定の地域内の販売権や商標の使用権を与え, 商品・サービスの供給を実施するシステムである

が，商品販売に関する必要項目のみの契約内容であり，本部から代理店への指導は継続的には行われず，販売方法等の規制も緩やかである。また，ロイヤルティを徴収しないのが一般的である（契約一時金などはある）。パッケージライセンスビジネスは，自社で開発したジネスモデルと商標の使用権を，一定期間，他の事業者に対価を取って貸与するシステムである。継続的指導を行わない場合，中小小売商業振興法の「特定連鎖化事業者」とはされず，法定開示書面の交付・説明の義務はない。また，このようなビジネスでは「切り売り」が特徴となり，フランチャイズビジネスにおいての経営指導，統制又は管理がなく，ライセンス料も課金されないし，独自の仕入れが可能になる。また，プロデュースといった用語も使われる。

2　リスク分析

2.1　独立事業者リスク

　フランチャイジーは独立した事業者であり，フランチャイザーの支店あるいは社員ではない。したがって事業者として事業者リスクを負担する。売上不振が起こることも予測し，余裕をもった事業計画を構築すべきである。

2.2　フランチャイズビジネスリスク

　フランチャイザーは，資金力がさほど多くなくとも，商標や経営ノウハウといったフランチャイザーの経営資源（資金面を含む）の活用によって急速な多店舗／広範囲における展開が可能となる。ただし，一旦フランチャイズビジネスそのものがブランド力低下などの理由で販売不振になり，ライセンスビジネスが立ち行かなくなった場合，個々のフランチャイジーがとれる対応策は非常に少なく，大多数のフランチャイジーの影響を受けて，最悪は多大な損失となる場合が考えられる。

2.3　契約上のリスク

　フランチャイズ契約上フランチャイジーに対する義務が課せられる。開店

できない場合に加盟金が返金されないといった条件や, 解約時の違約金である。また, ロイヤルティのベースは純利益なのか, 売上額なのか, 売上総利益なのかなどの確認も必要である。この選択によって, 営業不振で赤字の場合においてもロイヤルティの支払いが必要になる場合がある。また, 知らないうちに貸付けになっている場合がある。同一商圏内に競合店が開店される場合もあり, テリトリー制になっているかも確認する必要がある。

2.4 取扱製品リスク

PL問題, 製品の製造不良, 品質不良といった問題が生じて, 顧客あるいは販売店から製品の返品がなされるリスクがある。本部による取扱商品仕入への関与や保証条件の確認が必要となる。

3 関連する法律・許認可など

3.1 独占禁止法（「私的独占の禁止及び公正取引の確保に関する法律」）

公正取引委員会では「フランチャイズ・システムに関する独占禁止法上の考え方について」(以下「ガイドライン」という)を定めており, 独占禁止法上問題となる事項を示している。

3.1.1 ぎまん的顧客誘引

フランチャイザーが十分な開示を行わず, 又は虚偽もしくは誇大な開示を行い, これらにより, 実際のフランチャイズ・システムの内容よりも著しく優良又は有利であると誤認させ, 競争者の顧客を自己と取引するように不当に誘引する場合には, 不公正な取引方法の一般指定8項 (ぎまん的顧客誘引) に該当する。

3.1.2 優越的地位の濫用, 抱合せ販売, 拘束条件付取引

フランチャイズ契約においては, フランチャイザーがフランチャイジーに対し, 商品, 原材料, 包装資材, 使用設備, 機械器具等の注文先や店舗の清掃, 内外装工事等の依頼先について本部又は特定の第三者を指定したり, 販売方法, 営業時間, 営業地域, 販売価格などに関し各種の制限を課すことが多い。こ

れらの条項は，フランチャイザーがフランチャイジーに対して供与あるいは開示した営業の秘密を守り，また，第三者に対する統一したイメージを確保すること等を目的とするものと考えられ，営業を的確に実施する限度にとどまるものであれば，直ちに独占禁止法上問題となるものではない。しかし，フランチャイズ契約又はフランチャイザーの行為が，フランチャイズ・システムによる営業を的確に実施する限度を超え，フランチャイジーに対して正常な商慣習に照らして不当に不利益を与える場合，独占禁止法2条9項5号（優越的地位の濫用）に，また，加盟者を不当に拘束するものである場合には，不公正な取引方法の一般指定10項（抱合せ販売等）又は12項（拘束条件付取引）等に該当することがある。

優越的地位の濫用としては，取引先の制限（本部又は本部指定事業者とのみ取引させることにより，良質廉価で商品又は役務を提供する他の事業者と取引させないようにすること），仕入数量の強制（販売する商品又は使用する原材料について，返品が認められないが必要な範囲を超えて，本部が仕入数量を指示し当該数量を仕入れることを余儀なくさせること），見切り販売の制限（廃棄ロス原価を含む売上総利益がロイヤルティ算定の基準となる場合においてライセンサーがライセンシーに対し正当な理由もなく品質が急速に低下する商品等の見切り販売を制限し，廃棄することを余儀なくさせること）が挙げられる。

フランチャイズ契約に基づく営業のノウハウの供与に併せて，フランチャイザーが加盟者に自己や自己の指定する事業者から商品，原材料等の供給を受けさせることが不公正な取引方法・一般指定の抱合せ販売等や拘束条件付取引に該当するかどうかについては，行為者の地位拘束が相手方の事業者間の競争に及ぼす効果，指定先の事業者間の競争に及ぼす効果等を総合勘案して判断される。

3.1.3　再販売価格の拘束

販売価格については，統一的営業・消費者の選択基準の明示の観点から，必要に応じて希望価格の提示は許容される。しかし，加盟者が地域市場の実情に応じて販売価格を設定しなければならない場合や売れ残り商品等について値下げして販売しなければならない場合などもあることから，本部が加

盟者に商品を供給している場合，加盟者の販売価格（再販売価格）を拘束することは，原則として独占禁止法2条9項4号（再販売価格の拘束）に該当する。また，本部が加盟者に商品を直接供給していない場合であっても，加盟者が供給する商品又は役務の価格を不当に拘束する場合，不公正な取引方法の一般指定12項（拘束条件付取引）に該当することとなり，これについては，地域市場の状況，本部の販売価格への関与の状況等を総合勘案して判断される。

ライセンス契約においては，売上総利益をロイヤルティ算定の基準としていることが多く，その大半は，廃棄ロス原価を売上原価に算入せず，その結果，廃棄ロス原価が売上総利益に含まれる方式を採用している。この方式の下では，加盟者が商品を廃棄する場合には，加盟者は廃棄ロス原価を負担するほか，廃棄ロス原価を含む売上総利益に基づくロイヤルティも負担することとなり，廃棄ロス原価が売上原価に算入され不利益が大きくなりやすい。

3.1.4　ガイドライン要求開示事項

ガイドラインに定める加盟者募集をする際にフランチャイザーによる開示が望ましい事項は，以下のとおりである。

- 加盟後の商品等の供給条件に関する事項（仕入先の推奨制度等）
- 加盟者に対する事業活動上の指導の内容，方法，回数，費用負担に関する事項
- 加盟に際して徴収する金銭の性質，金額，その返還の有無及び返還の条件
- 加盟後，本部の商標，商号等の使用，経営指導等の対価として加盟者が本部に定期的に支払う金銭の額，算定方法，徴収の時期，徴収の方法
- 本部と加盟者の間の決済方法の仕組み・条件，本部による加盟者への融資の利率等に関する事項
- 事業活動上の損失に対する補償の有無及びその内容ならびに経営不振となった場合の本部による経営支援の有無及びその内容
- 契約の期間ならびに契約の更新，解除及び中途解約の条件・手続に関する事項
- 加盟後，加盟者の店舗の周辺の地域に，同一又はそれに類似した業種を営む店舗を本部が自ら営業すること，又は他の加盟者に営業させるこ

とができるかに関する契約上の条項の有無及びその内容ならびにこのような営業が実施される計画の有無及びその内容

3.2 中小小売商業振興法

中小小売商業振興法は、商店街の整備・店舗の集団化・共同店舗等の整備等を通じて中小小売商業者の経営を近代化することで、中小小売商業の振興を図り、それにより、多様化する国民（消費者）のニーズに応えることを目的とした法律である（1条）。同法はフランチャイズ・ビジネスだけを規律することを目的としたものではない。同法では連鎖化事業（いわゆるチェーン事業）の中にはフランチャイズ・システムを含むとし、フランチャイズ・システムを特に「特定連鎖化事業」（11条）として、その運営の適正化を図っている。特定連鎖化事業を行う者は、その加盟希望者に対して同条1項各号が定める以下の重要事項について情報を開示し、説明することを義務づけている。本部から加盟者に対して交付される書面が「法定開示書面」と呼ばれるものである。フランチャイズ契約を締結するにあたって、フランチャイザーは、この書面を交付・開示し、その記載事項について説明をしなければならない。

中小小売商業振興法11条1項各号（引用）

「一　加盟に際し徴収する加盟金、保証金その他の金銭に関する事項
　二　加盟者に対する商品の販売条件に関する事項
　三　経営の指導に関する事項
　四　使用させる商標、商号その他の表示に関する事項
　五　契約の期間並びに契約の更新及び解除に関する事項
　六　前各号に掲げるもののほか、経済産業省令で定める事項」

また、同法施行規則10条において法11条1項6号に該当する事項を定めており、フランチャイザーに上記項目に加えて事前開示項目を書面で示して説明する義務を課している。また、中小企業庁では報告徴収を行っている（法13条2項）。

4 契約書チェックポイント　　☞モデル契約書4-9-1-1

契約書及び法定開示書面のチェックポイントは以下のとおりである。

項目	内容
本部事業者	住所, 従業員数, 資本額, 子会社名, 貸借対照表と損益計算書, 事業開始時期, 店舗数推移によってフランチャイザーの規模や事業内容を確認する。
訴訟件数	紛争数を知って信頼関係を判断する。
営業時間, 営業日, 休業日	自己の営業時間や従業員を雇用する場合の資料となる。
周辺地域で同一の店舗を他人に営業させることの有無	テリトリー権が認められているのか確認する。
販売に関する条項	店舗で販売する製品やサービスについて, 内容や価格を独自に決定できるか確認する。
仕入に関する条項	店舗で販売する製品を本部から購入しなければならないか確認する。
フランチャイズフィーに関する条項	売上, ロイヤルティ, 加盟金, 指導料など名目を問わず支払う内容を確認する。
制限条項	契約期間中, 契約終了後, 他の特定連鎖化事業への加盟禁止, 類似事業への就業制限との他の制限, 情報開示の禁止又は制限をどのように課しているか確認する。
支払方法	フランチャイジーから売上金等を送金させる方法, 貸付を行う場合は利率, 債権債務を相殺で行う場合の算定方法や利息にかかわる利率, 預託金の有無など会計処理等について理解する。
店舗構造	特別な義務を課す場合, 費用が高いこともあり, 十分に内容を確認してコスト計算する。
商標, 商号等の表示	利用できる表示とその制限を確認する。
契約の期間	期間満了時の扱い, 更新権について確認する。
解除に関する事項	解除に伴い支払うべき損害金等について確認する。
労働条件に関する事項	フランチャイズ加盟者が労働組合法上の労働者とされるビジネスモデルになっていないか。

法定開示書面
フランチャイズ契約のご説明

住所：
株式会社XYZマネージメント

　この資料は，弊社のXYZストアのフランチャイズ・システムに加盟される方々に中小小売商業振興法ならびに中小小売商業振興法施行規則に基づいて，フランチャイズ契約を締結するにあたってお渡しするものです。フランチャイズ契約を締結する前に，この資料をよくご検討いただき，第三者にご相談されるといった等，充分な時間をおかけください。

1　当該特定連鎖化事業を行う者の氏名又は名称
　　　住所
　　　常時使用する従業員の数
　　　役員の役職名及び氏名

2　当該特定連鎖化事業を行う者の資本の額
　　　主要株主の氏名
　　　他に事業を行っているときの種類

3　当該特定連鎖化事業を行う者が，その総株主又は総社員の議決権の過半に相当する議決権を自己又は他人の名義をもって有している者の名称及び事業の種類

4　当該特定連鎖化事業を行う者の直近の3事業年度の貸借対照表及び損益計算書又はこれらに代わる書類

5　当該特定連鎖化事業を行う者の当該事業の開始時期

6　直近の3事業年度における加盟者の店舗の数の推移に関する事項

7　直近の5事業年度において，当該特定連鎖化事業を行う者が契約に関し，加盟者又は加盟者であった者に対して提起した訴えの件数及び加盟者又は加盟者であった者から提起された訴えの件数

8　加盟者の店舗の営業時間並びに営業日及び定期又は不定期の休業日

9　当該特定連鎖化事業を行う者が，加盟者の店舗の周辺の地域において当該加盟者の店舗における小売業と同一又はそれに類似した小売業を営む店舗を自ら営業し又は当該加盟者以外の者に営業させる旨の規定の有無及びその内容

10　契約の期間中又は契約の解除もしくは満了の後,他の特定連鎖化事業への加盟禁止,類似事業への就業制限その他加盟者が営業活動を禁止又は制限される規定の有無及びその内容

11　契約の期間中又は契約の解除もしくは満了の後,加盟者が当該特定連鎖化事業について知り得た情報の開示を禁止又は制限する規定の有無及びその内容

12　加盟者から定期的に金銭を徴収するときは,当該金銭に関する事項

13　加盟者から定期的に売上金の全部又は一部を送金させる場合にあってはその時期及び方法

14　加盟者に対する金銭の貸付け又は貸付けのあっせんを行う場合にあっては,当該貸付け又は貸付けのあっせんに係る利率又は算定方法その他の条件

15　加盟者との一定期間の取引より生ずる債権債務の相殺にあって発生する残額の全部又は一部に対して利息を附する場合にあっては,当該利息に係る利率又は算定方法その他の条件

16　加盟者の店舗の構造又は内外装について加盟者に特別の義務を課すときは,その内容

17　特定連鎖化事業を行う者又は加盟者が契約に違反した場合に生じる金銭の額又は算定方法その他の義務の内容

（法第11条第1項第1号－第5号関係）

1　加盟に際し徴収する加盟金,保証金その他の金銭に関する事項

2　加盟者に対する商品の販売条件に関する事項

3　経営の指導に関する事項

4　使用させる商標,商号その他の表示に関する事項

5　契約の期間並びに契約の更新及び解除に関する事項

> 【注意】
> 　6・12については,中小小売商業振興法施行規則11条において,さらに詳しい記載内容が定められている(本書出版時のもののため,実際の規定を確認されたい)。法令においては,法第11条に定める第1項第1号－第5号に加えて,以下の6号と7号の規定がある。
> 6　直近の三事業年度における加盟者の店舗の数の推移に関する事項
> 7　加盟者から定期的に徴収する金銭に関する事項

フランチャイズ契約書

株式会社XYZマネージメント(以下「甲」という)と[　　　　　](以下「乙」という)は[　　　　]販売のフランチャイズシステム「XYZストア」の運営について次のとおりフランチャイズ契約を締結する。

第1条（目的）
本契約は,甲が実施するXYZフランチャイジーシステム(以下「本件事業」という)に乙が加盟するにあたって,その基本条件を定めるものとする。

第2条（法定開示書面）
乙は,甲より別紙のとおり法定開示書面を受領し,説明を受けたことを確認する。

第3条（加盟資格）
乙は,本フランチャイズに加盟するにあたって,甲による資格審査を受けるものとし,契約有効期間中,甲が定める加盟資格を保持しなければならない。

第4条（加盟金ならびに保証金）
1　乙は,本契約締結時に甲に対して,加盟金として金100万円(消費税別途)を支払う。なお,この加盟金は,乙が店舗を開店するか否かにかかわらず,理由の如何を問わず返還されないものとする。
2　乙は,本契約締結時に甲に対して,保証金として乙が甲に負担する一切の債務を負担するために金100万円を支払う。本保証金は無利息とする。

第5条（営業地域）
本件事業を行うにあたってのテリトリーは定めない。ただし,乙が店舗を開店する地域については,甲の指導を受けるものとする。

第6条（店舗）
乙は,本件事業を行う店舗を甲の指導に基づいて開店しなければならない。なお,店舗の構造,内外装は甲の指導に従うものとし,甲の指定業者に設計・施行を発注するものとする。

第7条（オペレーション及び研修）
1　乙は,甲から別途示されるオペレーションマニュアル(以下「本マニュアル」という)に従って店舗を運営しなければならない。店舗の営業時間ならびに営業日

及び定期又は不定期の休業日は本マニュアルに従うものとする。
2 　乙は,甲が実施する研修に参加しなければならない。

第8条（ロイヤルティ）
　　乙は,ロイヤルティとして店舗売上の5％をロイヤルティとして支払う(消費税等別途)。支払時期は毎月月末締め翌月末現金払いとする。

第9条（商品仕入）
1 　乙は,店舗において甲から購入する商品（以下「本商品」という）のみを販売することができるものとし,これ以外の商品は販売でいないものとする。
2 　乙の甲からの本商品の購入の支払代金は,以下のとおりとする。
・仕入日　1日−15日　　支払日　25日
・仕入日　16日−末日　　支払日　翌月5日

第10条（商標等）
　　甲は,乙が本件事業の推進のため,本契約有効期間中甲の商標,サービスマーク等を使用許諾する。

第11条（販売促進活動,援助）
1 　乙は,甲の指導の下,本件事業の販売促進活動を行う。
2 　甲は,乙に対して本件事業ならびに本件店舗の運営について援助を行う。

第12条（会計報告）
　　乙は,甲の要求に応じて会計を報告する。

第13条（立入調査）
　　甲は,乙の事業所,本件店舗に立ち入り,調査する事ができる。

第14条（競合避止）
　　乙は,本契約有効期間中ならびに契約終了後2年の間に,本契約店舗が所在する地域と同一行政区画内（区,市,町,村）において本件事業と競合する事業を行うことができない。

第15条（秘密保持）
　　乙は,本契約の有効期間中又は契約の終了後,乙が本件事業に関して知り得た情報,ノウハウ,営業上の秘密を秘密として保持し,第三者に開示してはならない。

第16条（期間）

本契約の有効期間は，本契約締結から5年間とする。なお，本契約の終了1ヵ月前までに相手方から特段の通知がない場合，本契約は1年間延長され，以後も同様とする。

第17条（契約解除）

1　乙が次の一に該当する場合は，甲は何らの催告なしに契約を解除することができる。
　（1）自ら振り出し，又は引き受けた手形もしくは小切手を不渡りにした場合
　（2）破産，民事再生，会社整理，特別清算もしくは会社更生を自ら申立もしくは申立を受けた場合
　（3）第三者から仮差押，仮処分を受けた場合
2　乙が次の一に該当する場合は，甲は30日間の催告をして，なお治癒されない場合，甲は本契約を解除することができる。
　（1）本契約の条項に違反したとき
　（2）本契約を締結後6ヵ月以内に店舗を開店しないとき
　（3）本マニュアルに禁止する店舗運営を行ったとき

第18条（契約終了時の措置）

1　本契約解除に伴い，乙が甲に負担している一切の債務につき期限の利益を失い，その債務全額を甲に支払う。
2　乙は，契約終了時に以下の事項を行うものとする。
　（1）甲から使用の許諾を受けた甲の商標及びサービスマークの一切の使用を中止する。
　（2）甲から交付を受けた資材を甲の指示に従って廃棄あるいは甲に返却する。

第19条（損害賠償）

1　乙が本契約の各条項のいずれかに違反することにより，甲が損害を被ったときは，乙は甲にその損害を賠償する。
2　乙が以下のいずれかに該当した場合，甲に対して損害賠償する義務を負担するものとする。その金額は，該当する継続日数に従い1日あたり金10万円を乗じたとする。
　（1）本契約期間中に，本契約店舗が所在する地域と同一行政区画内（区，市，町，村）において本件事業と競合する事業を行ったとき
　（2）本マニュアルに禁止する店舗運営を行ったとき

第20条（免責）
　乙は、本件店舗及び本件事業の運営に関して、第三者との間に紛争が生じた場合、その原因が甲の責めに帰する場合を除き、乙の責任とする。

第21条（保険）
　乙は、本件事業によって第三者に与えることのある損害を填補するために甲が指定する保険に加入するものとする。

第22条（遅延損害金）
　乙が本契約に基づく支払いを遅延した場合、損害金として年利14.6％の遅延金利を支払うものとする。なお、遅延金利は日割り計算する。

第23条（連帯保証）
　乙の代表者［　　　　　］は、乙の債務につき連帯して保証し、債務の責めに任ずる。なお、乙の代表者に変更があるときは事前に甲に通知し、新代表者が乙の債務につき連帯して保証する内容の証明書を甲に提出する。

第24条（契約上の地位譲渡）
1　乙は、本契約の地位を第三者に譲渡あるいは乙の義務を引き受けさせてはならないものとする。
2　乙は、甲の承諾なく本店舗の運営を第三者に委託させてはならない。
3　甲は、書面によって乙に通知することにより、本契約の地位を第三者に譲渡あるいは甲の義務を引き受けさせることができる。

第25条（裁判管轄）
　本契約に関連する一切の紛争については、甲の本店所在地を管轄する裁判所を管轄する裁判所を第一審専属裁判所とする。

　以上、本契約締結の証として本書2通作成し、各自記名捺印の上それぞれがその1通を保有する。

年　月　日

　　　　　　　　　　株式会社XYZマネージメント
　　　　　　　　　　住所
　　　　　　　　　　役職名
　　　　　　　　　　氏名　　　　　　　　　　　㊞

　　　　　　　　　　〇〇〇〇
　　　　　　　　　　住所
　　　　　　　　　　役職名
　　　　　　　　　　氏名　　　　　　　　　　　㊞

　　　　　　　　　　連帯保証人
　　　　　　　　　　住所
　　　　　　　　　　氏名　　　　　　　　　　　㊞

9-2　国際フランチャイズ契約

1　ビジネスモデル

　国際フランチャイズ契約は，海外で有名なフランチャイズビジネス（例：ホテルチェーンや飲食チェーン）を日本に持ち込むことを取り決める契約であり，海外ライセンサーが日本のライセンシーに対してマスターライセンスを許諾して，日本のライセンシーが国内でフランチャイズを展開することを許諾するものと，日本のフランチャイジーが海外のフランチャイザーからフランチャイズを許諾されるもの（通常のフランチャイズ契約）がある。こういったフランチャイズを日本に持ち込むことにおいては，ブランド使用については分かりやすいが，海外のオペレーションをそのまま日本にあてはめることがうまくいくかどうかが問題となる。

　過去，米国から日本には，ハンバーガーチェーン，ホテルチェーンなどさまざまなシステムがフランチャイズされてきた。多くの国際契約が米国法を準拠法として契約が作成され，また米国からのフランチャイズが多数あることから，ここでは米国法におけるフランチャイズビジネスを中心に解説する。近年米国以外からのフランチャイズ契約も増えてきたが，もともと米国で洗練された契約であり，各国国内法で修正されつつもその基本形は維持されることが多い。

　米国のフランチャイズビジネスは，「ビジネスフランチャイズ」と「プロダクトフランチャイズ」の2種類に分類される。ビジネスフランチャイズは，フランチャイジーがフランチャイズビジネスプロセスを遵守してオペレーションを行うもので，たとえばマクドナルドがこれにあたる。一方，プロダクトフランチャイズにおいては，フランチャイザーの商品を販売して，商標許諾を受けるものである。フランチャイジーからの支払いは商品代金の支払いによって行われる。こういったフランチャイズビジネスにおいては，フランチャイジーがイニシャルライセンスフィーあるいはロイヤルティフィーを支払うことによって，フランチャイザーがビジネスシステムと商標の使用許諾を与え，継続的な援助

を行い、トレーニングを実施するライセンス契約であると捉えられている。この援助には、店舗開店地の選定、開店準備、商品購入の援助が含まれる。

　米国では、国際フランチャイズ協会(International Franchise Association)による「フランチャイズ購入ガイド」(Guide to Buying a Franchise/ http://www.franchise.org/files/buyfran.pdf) において、フランチャイズ契約を締結するにあたっては以下の点に留意するよう注意を喚起している。

- コスト(初期費用、ロイヤルティ、広告費)
- コントロール(場所選定、デザイン承認、商品とサービスの制限、オペレーション上の禁止、販売地域の規制)
- 解除と更新

米国のフランチャイザーとフランチャイズ契約を締結する際には、これらのことは米国国内での事案と同様に重要である。

2　関連する法律・許認可など

2.1　米国連邦取引委員会(Federal Trade Commission)が定める連邦取引委員会規則

　米国においては、フランチャイズ契約における情報の開示が定められており(Disclosure Requirements and Prohibitions Concerning Franchising and Business Opportunity Ventures (16 C.F.R §436)) 同規則436条の2において、情報の開示を怠ったフランチャイズ契約や7日間の考慮期間を与えずに開示情報を変更して締結されたフランチャイズ契約は、不公正な競争方法を禁止する連邦取引委員会規則5条違反となることと規定されている。

　フランチャイズに関するFTC改正規則は、2007年1月に公表、7月1日から施行され、2008年7月以降は、同改正規則に基づき、フランチャイズビジネスの性質を記載したカバーページならびに以下の23の開示項目による情報開示が求められている。

1. The Franchisor and any Parents, Predecessors, and Affiliates
   (フランチャイザーの名前, 親会社, 関連会社, 過去のフランチャイザーから承継した場合はその名前も)
2. Business Experience
   (フランチャイザーの運営責任者の過去の経験)
3. Litigation
   (フランチャイザーや運営責任者が現在抱えている訴訟案件)
4. Bankruptcy
   (フランチャイザーや運営責任者の過去の破産経験)
5. Initial Fees
   (初期報酬と初期報酬の返還される条件)
6. Other Fees
   (その他の報酬)
7. Estimated Initial Investment
   (予想される初期支出)
8. Restrictions on Sources of Products and Services
   (フランチャイズビジネスを開始する際の原材料やサービスの提供を受ける際の制限)
9. Franchisee's Obligations
   (フランチャイジーの義務)
10. Financing
    (金融の手立て)
11. Franchisor's Assistance, Advertising, Computer Systems, and Training
    (フランチャイザーの援助, 助言, コンピューターシステム支援, 訓練支援)
12. Territory
    (許諾地域)
13. Trademarks
    (商標の使用)
14. Patents, Copyrights, and Proprietary Information
    (特許, 著作権などの知的財産権の使用)
15. Obligation to Participate in the Actual Operation of the Franchise Business
    (フランチャイジーが実際に運営に関与する義務の有無)
16. Restrictions on What the Franchisee May Sell
    (フランチャイジーの被る販売制限)
17. Renewal, Termination, Transfer, and Dispute Resolution
    (契約更新, 解除, 権利移転及び紛争解決手段)

> 18. Public Figures
>   （公共的な有名人の関与）
> 19. Financial Performance Representations
>   （標準的な収支の表明）
> 20. Outlets and Franchisee Information
>   （フランチャイジーとなっているアウトレットの情報）
> 21. Financial Statements
>   （会計書類）
> 22. Contracts
>   （フランチャイズ契約案）
> 23. Receipts
>   （開示情報の領収記録）

　つまり，米国法を準拠法としたフランチャイズ契約ではこれらの点が契約で詳細に決められており，準拠法に関して別の合意がなされない限り，信じられないような多数ページの契約が作成されることが多くなる。相手方にとってはこれが当たり前なのだとの理解が肝要である。

2.2　州法

　米国では，一部の州において州のフランチャイズ法が制定されているので，これらの州法も遵守することが必要である。なお，州法は上記の連邦法に要件を付け加えることが許されているだけで，連邦法と矛盾した基準を作成することはできない。

3　契約書チェックポイント

☞モデル契約書4-9-2-1

　上記のとおり，フランチャイズ契約自体は詳細なものが一般的であるが，ここでは編集の都合上，簡易な形式でのモデル契約書を載せて，重要事項に関する簡単な解説を述べる。最も簡易に契約できればこの形式も可能という意味でご理解いただきたい。

- フランチャイズの内容（第1条）

  原則は，非独占の，商標やサービスマーク等を使用する許諾権である。しかしながら，「その他に何を得ることができるか」「何ができないか」が実は重要である。なお，フランチャイジーの払う費用はフランチャイザーのどのようなサービスの提供に対するものかを明記しないと，商標やサービスマークの使用権だけに高額の費用を払うことになる。

- フランチャイズシステムの内容（第1条・第3条・第5条・第6条）

  通常，フランチャイザーはフランチャイズシステムの規則やマニュアルを事前に決めていて，フランチャイジーがこれを遵守することが大前提となるが，契約書にはこの内容は開示されないことが多い。多量の文書になるが，契約前に必ずこのシステムの内容を把握することが必須となる。なお，最低販売量を規定されたり，商品そのもの，製造に使用する原料や必要物をフランチャイザーからしか購入できなくなっているシステムは多数存在する。また，セミナー等でトレーニングを受ける権利，義務，内容，費用は核ともいえる重要なシステムの内容である。監査を受ける義務もよく規定される。

- 秘密保持義務（第7条）

  本条項は当事者双方の義務とされているが，秘密情報を受け取るのは原則的にフランチャイジーだけであるとして，一方的に義務を課される場合も多い。本条項のように秘密情報を特定するもの，秘密だと状況から合理的に判断できるもの，あるいは，第7条第3項のような例外規定に該当しない限り原則としてすべて秘密情報であるとするもの等が存在する。フランチャイジーとしては，どのような情報を提出し，受け取ることになるのか，契約後の実務を想定することが必要になる。

- 場所

  本契約には規定がないが，フランチャイズ契約においては，フランチャイズとして営業する場所や店舗の建設や修理について条件が課されることが多い。この不履行は契約上重要な不履行と規定されていることが多いので，事前に詳細な検討が必要である。

- フランチャイジーの費用（第2条・第3条）

  通常はロイヤルティのレートを定めるが，本契約のように定額の場合も

ある。また，宣伝費用の拠出を求められることも多い。ロイヤルティの場合には，ロイヤルティ算出の基となる「利益」の定義を決めることが必要である。また，収入や売上の調査をする権利をフランチャイザーが持つことも多い。調査がどのような負担になるかも検討材料となる。

● 一般条項

　このモデル契約書は比較的公平なものであるが，フランチャイズ契約では一般条項と考えられる条項は基本的にフランチャイザーに一方的に有利になっていることが多い。一般条項をフランチャイジーという弱い立場でありながら交渉で変更させることは困難を伴う。

　なお，本例では，責任の限定（第8条）解除（第9条1項）権利譲渡の禁止（第9条2項）完全合意条項（第9条5項）準拠法・合意管轄（第9条6項・7項）が一般条項に該当する。

FRANCHISE AGREEMENT

This Agreement is made between First Service, Inc. ("Franchisor") and [   ] ("Franchisee").

1. Franchise Rights & Territory.

1.1 Franchisor hereby grants to Franchisee the non-exclusive right to sell Franchisor books, products, and services under the brand name of First Servise ("Publications") within the following territory ("Territory") to individuals, publicly-owned companies, schools, locally-owned businesses, local non-profit organizations, and other organizations that reside within the above-mentioned territory (collectively "Customers") under the special logo and trademark of Franchisor as [   ]. Franchisor may freely appoint new Franchisees within the Territory.

1.2 Franchisee is not allowed to appoint any sub-franchisee unless approved in writing by Franchisor.

1.3 Franchisee is allowed to sell Publications at the price determined by Franchisee.

2. Franchise Fee

In consideration of the Franchise granted hereunder, Franchisee agrees to pay to Franchisor $1,000.00 within seven (7) days from the date of this Agreement.

3. Duties of the Franchisee.

Franchisee hereby agrees to operate the Franchise:
(a) in accordance with policies and procedures of Franchisor;
(b) by maintaining acceptable levels of service to Customers;
(c) by keeping accurate sales and financial record; and
(d) by making the reporting in accordance with the format given by Franchisor.

4. Minimum Number of Publications Sold.

In order to maintain his or her Franchise Rights to the Territory, Franchisee shall sell a minimum number of Publications:

   First Contract Year: [   ]
   Second Contract Year and after: [   ]

5. **Franchisor Services.**

Franchisor agrees to use reasonable efforts to provide services to the Franchisee in order that Franchisee may operate Franchise in efficient way. Such services shall be determined solely by Franchisor and will include, but are not limited to, the following:
   (a) To provide access to marketing and management tools, business model and business plan, and services;
   (b) To maintain an Internet page for the Franchise;
   (c) To provide information concerning Publications;
   (d) To grant the use of trademark and other marks of Franchisor; and
   (e) To perform the seminar.

6. **Order and payment.**

Franchisee shall pay for the purchase price for Publications and services sold by Franchisor to Franchisee according to the payment schedule made by Franchisor. No Referral Payments to be paid by Franchisor.

7. **Confidential Information.**

7.1 Confidential Information shall mean that information of either party (the "Disclosing Party") which is disclosed to the other party (the "Receiving Party") pursuant to this Agreement in writing form and marked "Confidential", "Property" or similar designation at the time of its first disclosure, or if disclosed orally, the Disclosing Party shall indicate so at the time of disclosure followed by a written summary of such information to the Receiving Party within five (5) days of disclosure with mark of confidentiality.

7.2 During the term of this Agreement, for period of three (3) years after expiration or termination of this Agreement, each Party shall keep in strict confidence and shall not disclose the Confidential Information to any third person nor use the Confidential Information other than as expressly permitted hereunder without the Disclosing Party's prior written consent. The Receiving Party may only disclose the Confidential Information to its directors, officers, employees, Affiliates, contractors and consultants on a need-to-know basis to the extent such disclosure is reasonably necessary in connection with the Receiving Party's activities as expressly authorized by this Agreement.

7.3 The obligations set forth herein shall not apply to the extent that: (i) now or subsequently becomes generally known or available through no act or omission of the Receiving Party; (ii) was or is known at the time of receipt of the same from the Disclosing Party; (iii) is provided by the Disclosing Party without restriction on disclosure; (iv) is subsequently rightfully provided to the Receiving Party by a third party without restriction on disclosure; or (v) is independently developed by the Receiving Party without use of the Confidential Information of the Disclosing Party, provided that the person or persons developing the same had not had access to the Confidential Information of the Disclosing Party prior to such independent development; (vi) is legally compelled to do so by law, order or regulation of any governmental agency or a court of competent jurisdiction.

8. **Limitation of Liabilities.**

NEITHER PARTY SHALL HAVE ANY LIABILITY OF INCIDENTAL, CONSEQUENTIAL, INDIRECT, SPECIAL OR PUNITIVE DAMAGES OF ANY KIND OR FOR LOSS OF REVENUE, LOSS OF BUSINESS, LOSS OF USE OR DATA, INTERRUPTION OF BUSINESS ARISING OUT OF OR IN CONNECTION WITH THIS AGREEMENT, AND IN NO EVENT SHALL THE FRANCHISOR'S LIABILITY UNDER THIS AGREEMENT EXCEED THE AMOUNTS PAID BY THE FRANCHISEE TO THE FRANCHISOR UNDER THIS AGREEMENT.

9. **General Provisions**

9.1 Term and Termination

 9.1.1 This Agreement shall become effective on the Effective Date first written above and shall continue in effect for a period of [　　(　　)] years (the "Term"), unless terminated as provided in this Agreement. Thereafter, this Agreement may be automatically renewed on its anniversary dates for additional [　　(　　)] year terms (a "Renewal Term") unless either party notifies the other in writing of its intent to terminate this Agreement no later than three (3) months prior to the expiration of the Term or any Renewal Term then effective.

 9.1.2 Either party may terminate this Agreement by giving the other written notice of termination if:

  (a) the other party commits a material breach of or default under this

Agreement and fails to cure such breach or default within thirty (30) days after the terminating party gives the other party written notice of its intent to terminate this Agreement if the breach or default is not cured within such days; or

(b) any of the following takes place with respect to the other party:

(i) such party makes a general assignment or general arrangement for the benefit of its creditors; (ii) the filing by or against such party of a petition to have it adjudged bankrupt or of a petition for reorganization or arrangement of such party under any applicable laws relating to bankruptcy or insolvency, unless in the case of a filing against such party, the same is dismissed within [( )] days; (iii) the appointment of a trustee or a receiver to take possession of substantially all or all of such party's assets or its interests in this Agreement, where such possession is not restored within [( )] days; or (iv) the attachment, execution or other judicial seizure of substantially all or all of such party's assets or its interests in this Agreement, where such seizure is not discharged within [( )] days.

9.1.3 The Franchisee's obligations to pay all sums due hereunder shall be accelerated and all such sums shall be due and payable immediately upon termination of this Agreement.

9.2 Assignment

Neither party shall assign this Agreement, or any part hereof, without prior written consent of the other party.

9.3 No joint venture

This Agreement shall not be construed as joint venture as between Franchisor and Franchisee.

9.4 Severability

If any part of this Agreement is found invalid or unenforceable, that part will be amended to achieve as nearly as possible the same economic effect as the original provision and the reminder of this Agreement remain in full force and effect.

9.5 Entire Agreement

This Agreement constitutes the entire agreement between the parties, and supersedes any and all prior and contemporaneous discussions, communications, writings or agreements between the parties concerning the subject matter hereof. No waiver, amendment, modification of this Agreement shall be valid unless signed by an authorized representative of both parties hereto.

9.6 Governing Law

This Agreement shall be construed and governed by the laws of [   ].

9.7 Venue

The [   ] Court shall have the exclusive original jurisdiction for any and all disputes which may arise in relation to this Agreement.

By Franchisee :

Signed :   Date :

By Franchisor :

Signed :   Date :

事項索引
Index

アルファベット

PLCM ································· 163
Residuals ····························· 82
TPP協定（Trans-Pacific Partnership）··· 30
Whereas条項 ························· 86

あ

アサインバック条項 ··················· 68
アップフロント料 ···················· 165
アフィリエイト・サービス・プロバイダ（ASP）
 ··································· 194
アフィリエイト・プログラム ·········· 194
一般条項 ························· 19, 245
イニシャルペイメント（一時金・一時払い）
 ································ 61, 81
イニシャルロイヤルティ ··············· 98
違約金 ································· 8
インターネット消費者取引に係る広告表示に関する景品表示法上の問題点及び留意事項 ······ 196
営業秘密（トレードシークレット）··· 64, 70
オプション権 ························· 72

か

改良技術 ···················· 20, 65, 101
改良技術の帰属 ······················· 23
過失の推定 ··························· 27
完全合意条項 ···················· 45, 110
技術移転 ···························· 116
技術支援 ···························· 116
技術指導 ························· 74, 93
技術保証（ノウハウ保証）········ 75, 80
ぎまん的顧客誘引 ···················· 228
キャラクター ········ 57, 135, 136, 154
競業避止義務規定 ···················· 91
競争減殺効果 ························· 22
共同開発 ······················· 163, 172
共同研究 ···························· 172
共有 ································ 173

さ

グラントバック（条項）············ 68, 76
クロスライセンス ···················· 178
警告書 ······························· 26
源泉所得税（源泉徴収税）········ 47, 98
源泉徴収制度 ························· 47
公正競争阻害性 ················· 23, 210
拘束条件付取引 ················· 211, 228
国際消尽 ···························· 114
国際仲裁 ···························· 120
国内消尽 ···························· 114

さ

サービスマーク ······················ 244
最恵待遇条項 ························· 45
最大限の販売努力義務規定（best endeavor clause）························· 43
再販売価格の拘束 ···················· 229
サブライセンス契約 ·················· 218
ジェネリック医薬品 ·················· 164
私的独占 ····························· 22
修正制限条項 ························· 45
州法 ································ 243
消尽 ···························· 56, 114
譲渡条項 ···························· 107
商品化権 ···························· 135
情報提供 ····························· 28
正味販売価格 ························· 88
侵害物品の輸入差止め ················ 29
新規性喪失の例外 ····················· 33
親告罪 ······························· 37
製法特許 ···························· 162
セーフハーバー ······················· 22
相互実施許諾 ························ 178
租税条約 ····························· 48

た

抱合せ取引 ·························· 209
抱合せ販売等 ························ 229

ただ乗り（フリーライド）	138
ダブルトラック	29
知的財産権等ライセンス保険	9
知的財産の利用に関する独占禁止法上の指針	21, 66, 68, 82, 101, 179
仲裁	109, 119
中小小売商業振興法	212, 231
懲罰的賠償（三倍賠償）	27
著作者人格権	59
地理的表示（GI）	31
追加的損害賠償制度	34
通関解放制度	29
通常実施権	220
定額制	7
定額ライセンス料	89
締結日ベース（contract year）	43
定率方式	6
定量方式	6
出来高制	5
倒産リスク	10
当然対抗制度	11
独占的使用権	51
独占的ライセンス契約	62
特定連鎖化事業	212
特許期間延長制度	32
特許期間調整（Patent Term Adjustment／PTA）	33
特許権の消尽	56
特許権の消滅	53
特許料納付期限	53

な

二次的著作物	137
二重課税	48
年度ベース（calendar year）	43
ノウハウ	70
ノウハウの「書面化」	79
ノックダウン（knock down）による「特許逃れ」	56

は

パーセントロイヤルティ	41
パッケージライセンス契約	208
パッケージライセンスビジネス	208
パテントトロール（patent troll）	27
パテントプール	211
ビジネスフランチャイズ	240
美術の著作物	137
非親告罪	36
非放棄条項	111
フィジビリティスタディ（FS, 実行可能性調査）	43, 75, 116
不可抗力条項	105
不公正な取引と公正競争阻害性	68
不公正な取引方法	23, 210
不使用取消審判	138
物質特許	162
不当な取引制限	22, 66, 179
ブラックボックス化	73
フランチャイジー	226
フランチャイズ契約	226
フランチャイズ・システムに関する独占禁止法上の考え方について	228
プロダクトフランチャイズ	240
紛争解決条項	109
分離条項	111
並行輸入禁止規定	91
法定開示書面	231
法定損害賠償制度	34
保護期間	36
保証条項	101
ボランタリーチェーン	226
翻案権	64

ま

マイルストーンペイメント（マイルストーン料）	7, 165, 166
マキシマムロイヤルティ	7
マスターライセンス契約（Master License Agreement／MLA）	41
マルティプルライセンス契約	66
ミニマムロイヤルティ	7, 41, 61, 98
無効審判	28

や

優越的地位の濫用	228

猶予期間（グレースピリオド）……………… *34*
輸出管理法遵守条項……………………… *106*

ら

ライセンス……………………………… *2*
ランニングペイメント（分割払い）………… *81*
ランニングロイヤルティ…………… *60, 98, 165*
ランプサム（固定価格方式の契約）………… *28*
「類似」の範囲…………………………… *58*
レギュラーチェーン……………………… *226*
連邦取引委員会規則……………………… *241*
ロイヤルティ監査………………………… *8*
ロイヤルティシェアリング契約…………… *172*

執筆者略歴

【編著者】

吉川 達夫（よしかわ・たつお）…… 第1部第3章・第5章, 第2部事例1・2・10-12, 第3部第2章, 第4部第4章・第9章9-1担当

ニューヨーク州弁護士, 駒澤大学法科大学院, 国士舘大学21世紀アジア学部非常勤講師, 外資系日本法人Senior Legal Counsel, 元Tanium Inc. Contract Attorney, 元WeWork VP, Japan Regional General Counsel, 元VMware株式会社法務本部長, 元Apple Japan合同会社法務本部長(日本, 韓国), 元伊藤忠商事株式会社法務部, 元Temple Law School Visiting Professor, Georgetown Univ. Law School卒。

主な著作:『ライセンス契約のすべて（基礎編）改訂版（改正民法対応）』(編著, 第一法規, 2020年),『ハンドブック企業法務［改訂第2版］』(編著, 第一法規, 2019年),『ハンドブック　アメリカ・ビジネス法』(編著, 第一法規, 2018年),『ケースブック　アメリカ法概説』(レクシスネクシス・ジャパン, 2007年),『電子商取引法ハンドブック［第2版］』(中央経済社, 2012年),『海外子会社・海外取引のためのコンプライアンス違反・不正調査の法務』(中央経済社, 2015年),『コンプライアンス違反・不正調査の法務ハンドブック』(中央経済社, 2013年),『ダウンロードできる英文契約書の作成実務』(中央経済社, 2018年)

森下 賢樹（もりした・さかき）…… 第1部序章, 第2部事例7・8, 第4部第1章担当

弁理士 プライムワークス国際特許事務所代表。京都大学理学部物理学科卒。

主な著作:『ライセンス契約のすべて（基礎編）改訂版（改正民法対応）』(編著, 第一法規, 2020年),『ケースブック　アメリカ法概説』(レクシスネクシス・ジャパン, 2007年),『知的財産のビジネストラブルQ&A』(中央経済社, 2004年)

http://www.primeworks-ip.com/

【執筆者】（担当章順）

橋詰 卓司（はしづめ・たくじ）…… 第1部第1章・第2章担当

弁護士ドットコム株式会社クラウドサイン事業部リーガルデザインチーム編集長。明治大学法学部法律学科卒。電気通信, 人材, スマートフォンビジネスでそれぞれ法務・知財を担当。

主な著作:『アプリ法務ハンドブック』(共著, レクシスネクシス・ジャパン, 2015年),『良いウェブサービスを支える「利用規約」の作り方』(共著, 技術評論社, 2013年)など。

西岡 毅（にしおか・つよし）…… 第1部第4章, 第2部事例3, 第4部第3章担当

弁護士（東京弁護士会）。奥綜合法律事務所を経て, 2015年, 新虎通り法律事務所を開設。上智大学法学部卒, 上智大学大学院法学研究科法曹養成専攻修了。

主な著作:『決定版　民法がこんなに変わる!』(共著, 自由国民社, 2017年),『実務がわか

るハンドブック企業法務［改訂第2版］』（共著, 第一法規, 2019年）など。

中地 充（なかち・みちる）…… 第1部第6章担当
中地総合法律事務所代表弁護士（第一東京弁護士会）。中央大学法科大学院法務研究科修了。現在, 同大学院実務講師, 財務省税関研究所委託研修講師（知的財産権）。取扱分野は, 知的財産権, ソフトウェア開発, 一般企業法務等。
主な著作：『ソフトウェア開発訴訟における品質管理と目的物の完成について』（共著, 中央ロー・ジャーナル10巻2号, 2013年）など。

山浦 勝男（やまうら・かつお）…… 第2部事例4・5, 第3部第1章, 第4部第5章担当
株式会社 Blue Planet-works General Counsel。
主な著作：『国際ビジネス法務（第2版）』（共著, 第一法規, 2018年）

横井 康真（よこい・やすまさ）…… 第2部事例6, 第4部第2章2-1担当
弁護士　むくの木綜合法律事務所。京都大学工学部卒, 元特許庁審査官。
主な著作：『新会社法A2Z 非公開会社の実務』（共著, 第一法規）,『知財訴訟の訴状・答弁書の書き方（集約版）』（山の手総合研究所, 2014年）,『Q&A知的財産トラブル 予防・対応の実務』（共著, 新日本法規出版）,『企業法務判例 ケーススタディ300 企業取引・知的財産権編』（共著, 金融財政事情研究会, 2007年）　http://www.yokoilaw.com/

青木 武司（あおき・たけし）… 第2部事例9担当
弁理士。プライムワークス国際特許事務所パートナー。東京大学工学部計数工学科卒, 一橋大学大学院国際企業戦略研究科修士課程修了（経営法修士）。
主な著作：『ハンドブック アメリカ・ビジネス法』（共著, 第一法規, 2018年）,『ケースブック アメリカ法概説』（共著, レクシスネクシス・ジャパン, 2007年）

安部 敬二郎（あべ・けいじろう）…… 第4部第2章2-2・第9章9-2担当
森羅法律事務所弁護士（福岡県弁護士会）, ニューヨーク州弁護士。東京大学法学部卒, 米国コーネル大学L.L.M卒。電機, 機械の製造業の顧問を中心として活動し, ソフトウェアライセンス等を手掛け, その他医療機関やエンテーテイメントの業界にも携わる。

小原 英志（おばら・ひでし）…… 第4部第6章担当
弁護士・ニューヨーク州弁護士 西村あさひ法律事務所（バンコク事務所代表）。上智大学法学部国際関係法学科卒, The University of Michigan Law School卒。
主な著作：『移転価格税制のフロンティア』（共著, 有斐閣, 2011年）,『平成18年会社法 取締役・取締役会の実務』（共著, 税務経理協会, 2006年）など。

江口 大三郎（えぐち・だいさぶろう）…… 第4部第7章・第8章担当
江口法律事務所弁護士（東京弁護士会）。慶應義塾大学理工学部情報工学科卒, 神奈川大学法科大学院法務研究科法務専攻修了。主な取扱分野は, 一般企業法務, 一般民事。

※本書は、2016年12月30日に第2版第1刷としてレクシスネクシス・ジャパン株式会社から出版されたものに改訂を加えたものです。

サービス・インフォメーション
───通話無料───
① 商品に関するご照会・お申込みのご依頼
　　　TEL 0120(203)694／FAX 0120(302)640
② ご住所・ご名義等各種変更のご連絡
　　　TEL 0120(203)696／FAX 0120(202)974
③ 請求・お支払いに関するご照会・ご要望
　　　TEL 0120(203)695／FAX 0120(202)973

●フリーダイヤル（TEL）の受付時間は、土・日・祝日を除く
　9:00～17:30です。
●FAXは24時間受け付けておりますので、あわせてご利用ください。

ライセンス契約のすべて　実務応用編
～交渉から契約締結までのリスクマネジメント～
改訂版（改正民法対応）

2018年9月30日　初版発行
2020年6月20日　改訂版発行

編　著　吉　川　達　夫
　　　　森　下　賢　樹

発行者　田　中　英　弥

発行所　第一法規株式会社
　　　　〒107-8560　東京都港区南青山2-11-17
　　　　ホームページ　https://www.daiichihoki.co.jp/

ライセンス応用改　ISBN 978-4-474-07200-8　C2032 (9)